Amerika liegt im Osten

Heike Eva Schmidt

Amerika liegt im Osten

Roman

Herzklopfen und so

Für Mönze

Der Ort Lipová liegt in der heutigen Tschechischen Republik. Nach Augenzeugenberichten haben sich dort beim Einmarsch der sowjetischen Truppen ähnliche Szenen abgespielt, wie in diesem Buch beschrieben. Alle Personen im Roman und deren Namen sind dennoch frei erfunden. Ähnlichkeiten mit lebenden oder verstorbenen Personen sind rein zufällig und nicht beabsichtigt.

Prolog

Mir ist kalt. Ich versuche, mich noch enger in meinen Pulli zu wickeln, und denke daran, dass ich in den ganzen 17 Jahren meines Lebens noch nie so verloren war wie jetzt. Probehalber schließe ich die Augen. Vielleicht ist das ja nur einer dieser fiesen Träume, in denen man fest davon überzeugt ist, nicht zu schlafen, und dann wacht man auf und liegt in seinem Bett, heilfroh, dass man alles nur geträumt hat.

Nach ein paar Sekunden reiße ich die Augen wieder auf. Fehlanzeige. Statt auf einem weichen Kissen zu liegen, lehnt mein Kopf an der harten Kopfstütze eines Autositzes. Ich muss mich gar nicht umsehen, um zu wissen, dass ich diesmal wirklich in der Patsche sitze. Das Auto, mit dem ich und meine Urgroßeltern gerade noch unterwegs waren, steht nun mit offener Motorhaube am Rand einer gottverlassenen Straße irgendwo hinter der tschechischen Grenze. Eigentlich wäre »Buckelpiste« passender, denn die Schlaglöcher sind zahlreicher als die Flecken Asphalt, die scheinbar willkürlich auf dem Sträßchen verteilt wurden. So als ob ein Kind mit einem Pinsel schwarze Farbkleckse auf den Weg getupft hätte. Kein Wunder, dass da jede normale Karre schlappmacht. Der Kühler zischt und auch nach zehn Minuten entweicht noch unaufhörlich heißer Dampf.

Auf der Rückbank schläft meine Urgroßmutter und gibt dabei die gleichen Geräusche von sich wie der Mops unserer Nachbarn: ein verschnupfter Schnarchlaut beim Einatmen und ein keuchendes Pfeifen beim Ausatmen. Einzig mein Urgroßvater ist ausgestiegen. Ich kann sehen, wie er mit einem leeren Kanister auf den öden Dorfplatz zusteuert, wo ein vom Zusammenbruch bedrohter Brunnen steht. Ich fühle mich so allein. Ich fummle das Handy aus meiner Hosentasche und habe das Gefühl, das kleine silberne Ding ist meine einzige Verbindung zur normalen Welt.

Ich tippe: »süße, stecke hier fest. alles großer mist. wish u were here, XXX, motte«.

»Senden der Nachricht fehlgeschlagen.«

Super. Nicht mal meiner besten Freundin Nika kann ich eine SMS schicken. Kein Netz. Sinnlos, auf ein Internetcafé zu hoffen, wo es hier nicht mal eine Telefonzelle gibt. Zur Beruhigung atme ich einmal tief durch. Nützt aber nichts, stattdessen höre ich in Gedanken die Stimme meiner Mutter, die in ihrem typischen Die-Suppe-hast-du-dir-selbst-eingebrockt-Tonfall sagt: »Also, Motte: Du sitzt mit deinem neunzigjährigen Urgroßvater, der dich noch nie besonders interessiert hat, und deiner Urgroßmutter, deren Gedächtnis so löchrig wie ein Sieb ist, in Tschechien fest. Niemand da, der euch helfen kann. Und was jetzt?«

Fange ich jetzt schon an durchzudrehen so wie meine Uroma? Prüfend drehe ich den Kopf der alten Frau zu, die auf der Rückbank unbeirrt weiterschläft. Mein Urgroßvater ist irgendwo im Gewirr der verlassenen Gassen untergetaucht. Ich fühle mich, als wäre ich der einzige Mensch auf diesem Planeten, der noch klar im Kopf ist. Und in diesem Moment gibt es nichts mehr, womit ich mich von der Frage ablenken kann, die ich zwei Tage lang erfolgreich verdrängt habe: Wie konnte ich nur so blöd sein, mich überhaupt in diese ausweglose Situation zu manövrieren?

Kapitel 1

Ich sehe was,
was du nicht siehst

Eine Woche zuvor

Dieses blöde Handy! Da lade ich vorher extra den Akku, aber irgendwie lässt das Ding sich jetzt nicht mehr anschalten. Und dafür hab ich mich nun durch die Masse meiner Mitschüler gequetscht, die in der zur Disco umfunktionierten Turnhalle tanzen, als würden sie dafür bezahlt. Nicht dass ich mich hier durch unrhythmisches Zappeln blamieren will und ich bin auch nicht scharf darauf, dank der voll aufgedrehten Boxen einen Hörsturz zu erleiden. Mein einziges Ziel: möglichst nah ans DJ-Pult ranzukommen. Denn dort steht Laser. Der coolste Typ der Schule. Ich muss es heute einfach schaffen, ein Foto von ihm zu machen. Heimlich natürlich, ich will ja nicht wirken wie ein Groupie.

Laser steht an seinem Laptop und wippt lässig im Takt der Musik, seine knallblauen Augen sehen wie zwei Spotlights aus. Er geht in meine Parallelklasse. Genauso gut könnte er aber auf dem Mond zur Schule gehen, denn ich bezweifle, dass er überhaupt weiß, dass ich existiere. Das Einzige, was Laser denkt, wenn wir uns auf dem Schulflur begegnen, ist wahrscheinlich: »Hm, ist da nicht grade irgendwas an mir vorbeigelaufen? Oben orange, unten ausgelatschte Chucks?« So sehe ich nämlich an einem ganz normalen Morgen aus, wenn meine roten Haare mal wieder nicht glatt bleiben wollen und es mich schon auf der ersten Stufe im Hausflur der Länge nach hingedonnert hat, weil ich mal wieder versucht habe, hohe Schuhe zu tragen. Laser ist bestimmt noch nie im Leben über irgendwas gestolpert. Jemand, der regelmäßig die Leichtathletik-Schulmeisterschaft gewinnt und ein Ass im Basketball ist, fällt nicht auf die Nase. Er behauptet, er hätte den Sportsgeist von seinem Vater. Der ist Stuntman und arbeitet nicht hier, sondern in Hollywood. Ich habe ihn noch nie gesehen. Er kommt wohl nur ab und an in die Kleinstadt, in der Laser mit seiner Mutter in einer Villa mit Riesenterrasse und Pool wohnt. Die Nobelbude hat sein Vater natürlich von seinen Filmgagen bezahlt. Nicht dass Laser damit angibt, er erwähnt es nur manchmal ganz beiläufig, wenn ein neuer Blockbuster in die Kinos kommt, in dem sein Vater die Stunts macht. Ich weiß das deshalb, weil ich jedes Mal Ohren groß wie Rhabarberblätter kriege, wenn er etwas über sich erzählt. Ich will ja nichts verpassen – auch wenn er nicht mit mir redet, sondern nur mit seinen Kumpels. Kein Wunder, er ist der King an der Schule und hat einen ganzen Hofstaat von Bewunderern, von denen die meisten zu meinem Leidwesen weiblich sind.

Als hätte er gemerkt, dass ich ihn anstarre, blickt er von seinem DJ-Pult hoch. Ich senke hastig den Blick, sonst sehe ich gleich wieder wie ein Topf überkochende Tomatensoße aus. Mir wird heiß und die Röte steigt mir vom Hals aufwärts bis zum Haaransatz. Roter Kopf und rotes Haar: eine sehr aparte Kombi. Vorsichtig schiele ich zu Laser, vielleicht findet er ja Mädchen, die aussehen wie Rote Bete, ganz süß! Sein Blick ist auf die Tanzfläche geheftet und geht etwa einen halben Meter an mir vorbei. Mein Herz schlägt weit oben in meinem Hals. Als ich vorsichtig in die Richtung schiele, in die er guckt, ist alles klar: Bébé schmeißt gerade ihre blonde Mähne über die solariumgebräunten Schultern.

Die reicht ihr fast bis zu ihrem Rocksaum, was keine Kunst ist, so kurz, wie das Teil ist. Dafür sind die Schuhe umso höher. Seufzend wandert mein Blick zu meinen Füßen: meine treuen Chucks und darüber der ausgefranste Saum meiner Lieblingsjeans. Na und? Ich bin eben eher der sportlich-lässige Typ. Wieso fahren nur alle Jungs auf diese Ibiza-Model-Mädchen ab?

Gerade als ich das denke, bohrt sich Bébés spitzer Ellenbogen schmerzhaft in meinen Rücken. Madame praktiziert Ausdruckstanz! Dafür, dass sie so superdünn ist, hat sie beim Rempeln ganz schön Power.

»Pass doch auf!«, zickt sie mich an.

»Hallo, wer hampelt denn hier rum? Ich oder du?« Was Besseres fällt mir leider gerade nicht ein.

Bébé blickt mich spöttisch von ihren Wolkenkratzerschuhen herab an. »Ist das mein Problem, wenn *du* nur tanzen kannst wie ein Strickpulli – zwei rechts, zwei links?«, ätzt sie und stolziert davon.

Ihre Zunge ist leider genauso spitz wie ihre Knochen. Ich wünsche mir, dass ihre Zehn-Zentimeter-Absätze abbrechen. Jetzt. Und zwar gleichzeitig.

»Komm schon, Motte, du bist doch hübsch!« Der O-Ton meiner Mutter hallt in meinen Ohren. Ihre Waldorf-Montessori-Pädagogik ist einfach unschlagbar. Meine Nase findet sie »knuffig« und meine Augenfarbe nennt sie »Wasabi-Grün«. »Grüne Augen, Froschnatur, von der Liebe keine Spur«, sagt meine Uroma dagegen immer. Eigentlich soll das ein Seitenhieb gegen meine Mutter sein, die die gleiche Augenfarbe hat, aber meiner Mutter ist es ziemlich egal, was »so eine alte Vettel« – so nennt sie die Urgroßmutter gern, wenn die nicht dabei ist – für Boshaftigkeiten von sich gibt. Leider trifft Uromas dämlicher Reim bei mir mehr als zu. Von Liebe keine Spur, schon gar nicht in Bezug auf Laser. Zwar hat der keine feste Freundin, aber er wäre auch blöde, sich an eine zu binden, wenn doch so viele Mädchen hinter ihm her sind. Ich habe schon alles Mögliche versucht, um Laser aus meinem Kopf und Herzen zu kriegen. Angefangen damit, dass ich mir eingeredet habe, sein Spitzname wäre total bescheuert. Nur weil er sich mit Lasertechnologie auskennt, nennen ihn alle Laser statt Lukas. Dabei heiße ich ja auch nicht Motte, sondern Marie. Aber weil ich als Kind genau wie Motten total scharf auf Kerzenlicht war und immer gebettelt habe, eines von den Wachsdingern anzünden zu dürfen, hat sich der Name eingebürgert. Erst hat mich nur meine Mutter so genannt, dann Nika, meine beste Freundin, und dann hat sich der Spitzname wie die Masern im Kindergarten und in der Schule ausgebreitet.

Auch Lasers dauernde sportliche Höchstleistungen sollten mir auf die Nerven gehen. Aber finde mal einen Jungen blöd, der einen Körper hat, mit dem er es locker auf die Titelseite eines Männermagazins schaffen würde!

Inzwischen habe ich die Hoffnung aufgegeben, dass mich Laser jemals grüßen wird. Was niemand weiß und was ich nicht mal Nika verraten würde, selbst wenn sie mich gegen den Elektrozaun einer Kuhweide drücken würde: Manchmal sitze ich im Klassenzimmer und stelle mir vor, dass ich mich auf dem Heimweg von der Schule verlaufe. Das ist in einer Kleinstadt zwar äußerst unwahrscheinlich, aber was möglich oder unmöglich ist, spielt in Tagträumen sowieso keine Rolle. Ich stehe also hilflos nach der Schule an einer düsteren (Wieso düster? Schulschluss ist doch am helllichten Tag? – Egal!), verlassenen Straße, als eine Motorradgang auftaucht. Ich denke: Das ist mein Ende. Aber dann biegt Laser plötzlich auf seinem ultracoolen Mountainbike um die Ecke, sieht mich und bremst. Die Motorradtypen umzingeln ihn sofort. Doch er hat natürlich sämtliche Tricks von seinem Stuntmanvater auf Lager und haut die Vier von ihren Böcken, ehe er mich auf die Lenkerstange seines Bikes setzt und mit mir davonradelt. Direkt zu der Villa, in der er wohnt. Auf der Terrasse sieht er mich mit seinen tollen blauen Augen an und fährt sich dann durch sein dunkelblondes Haar, das immer so gekonnt verwuschelt aussieht. Und schließlich gesteht er mir, dass er schon lange ein Auge auf mich geworfen hat, sich aber bisher nicht getraut hat, mich anzusprechen. Und dann nimmt er mich in die Arme und wir beide versinken in einem innigen ...

Ein erneuter Rempler befördert mich aus meinem Lieblingstagtraum zurück in die Realität. Diesmal war es Pavel. Ausgerechnet der. »Polen-Pavel« nennen ihn die meisten aus meiner Klasse, obwohl er vor sieben Jahren mit seiner Mutter aus Prag gekommen ist. »Tscheche, Pole – ist doch Jacke wie Hose«, hat Tobi mal gewitzelt.

Und auch mich interessiert der ganze ehemalige Ostblock keinen Deut. Wozu soll ich mir merken, wo ein Land liegt, in das ich nie einen Fuß setzen werde? Manche Dinge muss man pragmatisch sehen, finde ich. Pavel und seine Mutter wollten ja offensichtlich auch nicht dort bleiben und so leben sie nun in irgendeinem der Hochhausklötze am Stadtrand. Ich kenne diese trostlose Gegend nur vom Vorbeifahren, wenn ich mit meiner Mutter Richtung Autobahn unterwegs bin. Pavels Mutter schlägt sich irgendwie als Putzfrau oder Kellnerin durch, so viel habe ich mal aus den Spötteleien der anderen rausgehört. Er war mir bisher egal, aber jetzt hat er mich aus meinem Laser-und-ich-Szenario gerissen.

»Hast du keine Augen im Kopf, du Penner?«, maule ich Pavel an und finde mich im selben Moment unmöglich, weil ich klinge wie Paris Hilton, die außen blond und innen hohl ist und ihre Angestellten sicher den ganzen Tag in genau demselben Ton anpöbelt. Daher murmle ich so was Ähnliches wie »Tut mir leid« hinterher.

Pavel hat mir den Spruch wohl nicht übel genommen, denn als ich jetzt erneut versuche, mein widerspenstiges Handy anzuschalten, gibt er mir einen Tipp: »Musst länger auf Einschalter drücken.«

Ich tue es und das Display leuchtet auf: »Willkommen!«
Pavel grinst.

Klugscheißer. Trotzdem ringe ich mir ein millimeterkleines Nicken ab. Immerhin kann ich jetzt endlich versuchen, Laser vor die Linse zu kriegen.

Die Ziffern auf dem Display leuchten. Es ist fast Mitternacht. Nicht mehr lange und einer der Lehrer wird reinkommen und die Party für beendet erklären. Höchste Zeit also, endlich das Foto von Laser zu schießen, ehe die Schubert – Englisch/Geschichte – oder der Vogel – Mathe/Physik – auftauchen und mir die Tour vermasseln. Wo war gleich noch mal die Funktion für die Kamera? Während ich auf meinem Handy herumdrücke, verfluche ich meine Technikunkenntnis. Egal, ob DVD-Player oder iPod, ich kapiere diesen ganzen Kram erst nach zahllosen Fehlversuchen. Meistens muss mir Nika helfen.

»Du brauchst Hilfe?« Schon wieder Pavel.

Ich habe jetzt echt keinen Nerv für den Typen. Doch Pavel rührt sich nicht von der Stelle. Weil ich die Foto-Funktion einfach nicht finden kann, platzt mir jetzt der Kragen. »Sag mal, hast du Dackelblut in den Adern oder warum bist du so anhänglich?«, fahre ich ihn an.

Pavel zuckt nur mit den Schultern und grinst. Wenigstens zieht er jetzt Leine.

Auf dem Handydisplay springen die Ziffern auf 23:56. Mist, bald ist hier Schicht im Schacht! Hektisch fummele ich an den Tasten herum. Da! Das muss der Auslöser für die Kamera sein. Und tatsächlich: Im Display sehe ich Laser am DJ-Pult und Pavel, der jetzt davor steht. Ich ächze genervt. Kann der vielleicht mal verschwinden? Ich will nicht, dass seine Visage mein kostbares Foto von Laser verschandelt. Aber Pavel bewegt sich keinen Millimeter. Vielleicht kann man das Bild später auf dem Computer abschneiden oder so.

Ich nehme Laser ins Visier. So konzentriert, dass ich gar nicht mitbekomme, dass die Musik plötzlich aufhört. Ich werde erst aufmerksam, als Laser sich zum Mikro beugt und grinsend die

Tanzenden mustert, die verwirrt in der plötzlichen Stille herumstehen und ihn anstarren.

»Ey, Alter, mach die Mucke an«, brüllt Tobi.

Laser grinst noch breiter und drückt eine Taste am Laptop. Komische Salsarhythmen ertönen und dann – es lebe Youtube – schallt das Lied *Biene Maja* durch die Lautsprecher. Von meiner Mutter weiß ich, dass sie Ende der Siebziger voll auf die Zeichentrickserie abgefahren ist. Kein Wunder, damals gab es ja nur drei Programme, da war man als Kind über jede Abwechslung froh, selbst wenn es eine streberhafte, dicke Biene mit Angela-Merkel-Frisur war, die einen unterhielt. Der Titelsong hat vor Kurzem ein Revival erlebt, nachdem Bushido diesen alten Sänger auf die Bühne geholt hatte, wie hieß der noch mal? Ich denke scharf nach. Ein paar Jungs fangen an, zu lachen und zu grölen. Und in dem Moment fällt bei mir der Groschen: Karel Gott! Der hatte so einen komischen Akzent. Kam der nicht aus … Prag! Genau! Ich hab sogar mal mit Nika darüber geredet, wie man so ein dämliches Lied fast dreißig Jahre, nachdem eine ganze Generation durch diese Biene verblödet worden ist, wieder aus der Versenkung holen konnte. Aber der alte Typ singt genauso, wie Pavel spricht – deswegen lässt Laser den Song wahrscheinlich laufen! Ich weiß nicht recht, was ich davon halten soll. Macht Laser das, weil er Pavel verarschen will, oder ist Pavel am Ende zu Laser gegangen, weil er den Song hören wollte?

Eigentlich habe ich keine Lust, mich weiter mit dieser Frage aufzuhalten. Siegessicher richte ich das Handy auf Laser – jetzt hab ich ihn. Um mich herum buhen und grölen die anderen immer noch. Laser lehnt sich übers DJ-Pult.

»Wollt ihr 'n Wunschkonzert?«, ruft er in die Menge.

»Neiiin«, brüllen die meisten.

»Was wollt ihr dann?«, schreit Laser von oben. Er grinst und seine Augen funkeln.

Ich höre gar nicht richtig hin. Ich kann nur daran denken, wie süß er aussieht, wenn er so grinst. Das *muss* aufs Foto! Triumphierend drücke ich auf die Auslösertaste. Doch als ich mit zusammengekniffenen Augen auf das Display gucke, ist keine Spur mehr von einem Grinsen auf seinem Gesicht zu sehen. Lasers Augen sind fast so schmal wie meine, aber nicht vor Konzentration. Irgendwie liegt ein Ausdruck auf seinem Gesicht, den ich nicht deuten kann.

»Ey, Pavel, gefällt's dir nicht? Ist doch ein Landsmann von dir!?«, ruft er von der DJ-Kanzel.

Obwohl ich Laser immer noch vor der Linse meines Handys habe, blicke ich mich neugierig nach Pavel um. Der schaut mit gerunzelter Stirn zu Laser hoch und winkt nur verächtlich ab. Er wendet sich zum Gehen, als Tobi ihm nachruft: »Da siehste mal, dass man auch als Gastarbeiter in Deutschland Kohle machen kann!«

Ein paar Jungs lachen laut.

Pavel guckt ziemlich sauer. Anscheinend sagt er etwas zu Tobi, denn dessen Miene wird jetzt angriffslustig. Doch Pavel lässt sich nicht auf einen Streit ein, er hat sich schon abgewandt. Nur ganz kurz zeigt er Laser den Finger. Ich fluche innerlich und hoffe, dass mein Handy funktioniert und ich das Foto von Laser schon in der Tasche habe, denn so zitronig, wie er Pavel jetzt nachguckt, brauche ich ihn nicht auf einem Foto. Ich will mich schließlich an den hübschen Laser erinnern.

In dem Moment beugt Laser den Kopf wieder zum Mikro und grinst. Jetzt, denke ich. Genau dieses Grinsen will ich später auf Posterformat vergrößern.

»Hey, Pavel, deine Mutter ist doch noch nicht so alt. Schick sie halt auf'n Strich, dann würdet ihr uns Steuerzahlern nicht auf der Tasche liegen!«, ruft er.

Eine Sekunde lang herrscht vollkommene Stille. Dann bricht Gelächter los. Viele von meinen Mitschülern prusten, Tobi zeigt Laser das Victory-Zeichen. Der grinst. Ich kann den Blick nicht von Laser lassen. Ich denke zwar verschwommen, dass das ein ganz schön heftiger Spruch war, aber hey, wer hat wem den Finger gezeigt? Außerdem ist Laser für seine Sprüche bekannt. Er macht ja nicht mal vor Lehrern wie Vogel halt.

Aus dem Augenwinkel sehe ich, wie Pavel Laser irgendwas zuruft, ehe er sich umdreht und auf den Ausgang zusteuert. Doch bevor er die Tür erreicht, ist Laser mit zwei Sprüngen vom DJ-Pult runter und bei Pavel angelangt. Er verpasst Pavel mit der flachen Hand einen harten Schlag auf den Hinterkopf. Ich muss an meinen fast neunzigjährigen Urgroßvater denken. »Leichte Schläge auf den Hinterkopf fördern das Denkvermögen« ist einer seiner Standardsprüche. Den wendet er mit Vorliebe an, wenn er behauptet, dass seinen Söhnen die eine oder andere Ohrfeige oder sogar Tracht Prügel nicht geschadet hätte. Meine Mutter regt sich jedes Mal darüber auf, dass ihr Großvater seine Kinder geschlagen hat – »wie in der Steinzeit«. Mein Opa, der die Dresche damals kassiert hat, zuckt immer mit den Schultern und murmelt irgendwas von »andere Zeiten«. Ich habe meinen Opa nie gefragt, ob er wirklich dachte, Urgroßvaters Prügel hätte ihm nicht geschadet. Seit einem Jahr ist er tot und ich kann es nicht mehr nachholen. Dass mir Urgroßvaters Spruch ausgerechnet jetzt einfällt!

Ich sehe Pavel, der sich überrascht und mit schmerzverzogenem Gesicht zu Laser umdreht. »Hey, was soll das?«

Laser grinst Pavel spöttisch an. »Leichte Schläge auf den Hinterkopf fördern das Denkvermögen, du Spast!«

Ich bin so überrascht, dass Laser den Spruch auch kennt, dass ich unwillkürlich grinsen muss. Doch dann schiebt Pavel Lasers Hand abrupt beiseite. Er will sich erneut abwenden, als Laser ihm unvermittelt in den Rücken springt. Pavel stürzt vornüber und knallt auf den Turnhallenboden. Laser kann noch einen Schlag landen, ehe es Pavel gelingt, sich auf den Rücken zu drehen. Pavel keucht, sein Gesicht ist schmerzverzerrt. Laser will wieder auf ihn losgehen, aber Pavel zieht im Liegen die Beine an und verpasst Laser einen Tritt in den Magen, sodass der sich zusammenkrümmt und nun ebenfalls zu Boden geht. Die anderen stehen um die beiden herum, die ganze Sache ist so schnell gegangen, dass alle nur stumm auf die zwei Jungs heruntergucken. Auch ich kann mich nicht rühren und blicke mit offenem Mund auf Laser, der immer noch zusammengerollt, die Arme an den Körper gepresst daliegt, während Pavel heftig atmend neben ihm kniet und mit der rechten Hand seinen eigenen Nacken reibt.

Eine wütende Stimme zerreißt die Stille: »Was ist hier los?« Es ist Vogel, neben ihm steht die Schubert. Er mustert uns aufgebracht, wie wir um Pavel und Laser herumstehen und gaffen.

Die Schubert hockt sich zu Laser und legt ihm die Hand auf die Schulter. »Lukas, alles okay mit Ihnen?«

Na toll, das hätte mir ja wohl auch mal einfallen können, Laser die Hand auf die Schulter zu legen und ihn zu fragen, ob er okay ist. Jetzt habe ich die Gelegenheit verpasst, Laser das erste und wahrscheinlich einzige Mal im Leben anzufassen!

Beim Wegdrehen trifft mich Tobis Blick. Er starrt auf mein Handy. Erst jetzt merke ich, dass ich das Teil noch immer in der Hand halte. Ich will auf keinen Fall wie ein Spanner aussehen. Deswegen gehe ich ein paar Schritte beiseite und versuche, mein Handy möglichst unauffällig in meiner Tasche verschwinden zu lassen. Derweil kommen alle anderen ebenfalls in Bewegung. Sie reden durcheinander, bis Vogel energisch »Ruhe!« brüllt. Alle verstummen. Vogel hat einen roten Kopf, wie immer, wenn er sauer wird. Unter dem Rot, das sogar die Kopfhaut überzieht, verschwinden seine farblosen Haare fast. Nur seine blassblauen Augen stechen hervor. Der ganze Mann ist ein einziger Genunfall – optisch wie charakterlich, finde ich.

Die Schubert kniet inzwischen bei Pavel und stellt ihm leise eine Frage, die der aber nur mit einer abwehrenden Handbewegung kommentiert.

»Ich will jetzt sofort wissen, was hier los war«, zerschneidet Vogel die angespannte Stille wie ein Sushimesser rohen Thunfisch. Seine Stimme ist höher als sonst. Wenn er sich aufregt, rutscht sie eine Oktave nach oben und er fängt an, beim Sprechen zu spucken. Ich muss mir dann immer auf die Zunge beißen, um mir eine blöde Bemerkung zu verkneifen.

Aber weil ich Vogel zu Beginn des Schuljahres schon durch meine große Klappe unangenehm aufgefallen bin, habe ich beschlossen, künftig lieber auf *Das Schweigen der Lämmer* zu machen. Ich kann mich noch gut an den Stress mit meiner Mutter erinnern, als ich ihr einen Brief von der Schule gegeben habe. Just for fun hatte ich »Spatz oder Sperling, Sperling oder Spatz, Vogel bleibt Vogel und den frisst die Katz« an die Tafel geschrieben. Es hatte großes Gelächter unter den Schülern gegeben. Vogel hatte den Reim allerdings alles andere als witzig gefunden. Er hatte herumgetobt und so heftig gespuckt, dass sich die Schüler in den vorderen Reihen ihre Mathebücher schützend vors Gesicht gehalten hatten. Vogel hatte »den Verursacher dieser Schmiererei« aufgefordert, sich »unverzüglich« zu melden. Ich hatte natürlich nicht daran gedacht. Aber irgendjemand hatte mich offenbar verpetzt, denn nach Unterrichtsschluss ging ich mit einer saftigen Strafarbeit samt Brief an meine Mutter nach Hause. Die war nicht wegen des Spruchs sauer – ich sah sehr wohl, dass sie sich bei meinem »Gedicht« ein Grinsen verbieten musste –, sondern weil ich es einfach nicht auf die Reihe bekomme, »Leistung zu bringen«. Stattdessen habe ich es mir durch die Aktion ausgerechnet mit dem Lehrer versaut, der nächstes Jahr wahrscheinlich meine Abiaufgaben korrigieren wird. Ich habe mir geschworen, demjenigen, der mich so schäbig verpfiffen hat, die Hölle heiß zu machen, sollte ich rauskriegen, um wen es sich handelt. Petzen finde ich das Allerletzte – und auch noch hinter dem Rücken!

Wegen des Ärgers mit Vogel mache ich mich jetzt etwas kleiner und beobachte aus sicherer Distanz, wie eine Ader an der Stirn des Lehrers schwillt. Wenn er noch wütender wird, kommt ihm noch Dampf aus den Ohren wie in einem Comic. Vogel hat sich vor den Schülern aufgebaut, seine blassen Augen springen von einem zum anderen.

»Ich warte auf eine Erklärung«, zischt er, sodass in dem zwischen Rosa und Grün wechselnden Schein der Lichtorgel die Spucketröpfchen fliegen.

»Pavel hat mich angegriffen«, sagt Laser auf einmal in das Schweigen hinein.

Mir fällt die Kinnlade runter. Hab ich die letzten fünf Minuten in einem Paralleluniversum verbracht? Laser hat doch Pavel angegriffen, oder?

Lasers Gesicht ist völlig unschuldig, sein Blick ist fest und sicher auf Vogel gerichtet. Pavel hebt langsam den Kopf und schaut Laser mit ausdrucksloser Miene an. Seine braunen Augen sind jetzt fast schwarz. Wie zwei Kohlenstücke stechen sie aus seinem bleichen Gesicht hervor. Es würde mich nicht wundern, wenn sie gleich anfangen würden, rot zu glühen, so hasserfüllt sieht er Laser an. Keiner der Schüler bringt ein Wort über die Lippen.

Laser sucht nun den Blick der Schubert, während er fortfährt: »Er hat mir von hinten einen Schlag verpasst und als ich mich umgedreht hab, hat er mir mit dem rechten Knie voll eins gegeben. Ich hab mich gewehrt und ihn, glaub ich, auch erwischt, aber so genau weiß ich das nicht mehr.«

Vogel blickt sich um. »Stimmt das?«

Viele Schüler weichen seinem Blick aus, doch dann nickt Tobi langsam und sagt: »Ja, Pavel hat angefangen.«

Jetzt nicken auch die anderen, manche zögerlich, andere eifrig. »Pavel war's. Er hat angefangen.«

Pavel schaut fassungslos in die Runde und ruft: »Aber ... ist doch nicht wahr! Ihr lügt!« Sein Blick bleibt an mir hängen. Ausgerechnet. Ich bücke mich hastig, um meine bereits gebundenen Schnürsenkel zuzubinden.

Aus meiner U-Boot-Perspektive höre ich Tobi sagen: »Wer lügt hier, hä, Pavel?«

Als ich wieder auftauche, sehe ich, wie Pavel mit ausgestrecktem Zeigefinger anklagend auf Laser zeigt und zur Schubert sagt: »Er lügt! Drecksau, die er ist!«

Auch wenn sein Deutsch noch zu wünschen übrig lässt, dumm ist Pavel nicht. In Mathe und Physik sahnt er sogar regelmäßig Bestnoten ab. Eigentlich sähe er auch mit seinen braunen Haaren und den dunklen Augen ganz gut aus, wenn er statt der wilden Ansammlung von Haaren eine vernünftige Frisur hätte und nicht immer diese Wohlfahrtsklamotten anziehen würde. Aber wahrscheinlich kann sich Pavels Mutter weder den Friseur noch anständige Klamotten leisten. Neben Laser mit seinen Markenjeans wirkt er jedenfalls wie der totale Loser. Und sein wutverzerrtes Gesicht macht die Sache nicht besser. Laser dagegen wirkt total ruhig und schüttelt nur mit einem milden Lächeln den Kopf.

Vogel sieht zu Laser, dann zu Pavel und sagt in einem pseudo-mitleidigen Pädagogen-Tonfall: »Es hat doch keinen Sinn, Pavel. Alle haben gesagt, dass Sie angefangen haben!«

Pavel will sich wutentbrannt auf Laser stürzen, aber Vogel und Schubert reagieren mit einer Schnelligkeit, die ich den beiden nicht zugetraut hätte, und halten ihn fest.

»Aufhören!«, keift Vogel.

Die Schubert wischt sich dezent mit dem Ärmel übers Gesicht und wirft Vogel einen angeekelten Blick zu. Laser steht einfach nur da, seine Arme hängen entspannt herunter. Er lächelt immer noch.

»Da haben Sie's«, sagt er ruhig. »Pavel ist unberechenbar. Genauso ist er vorhin auch auf mich losgegangen.«

Vogels Blick geht erneut von Laser zu Pavel und als er Pavel ansieht, verzieht sich sein Gesicht verächtlich. »Mitkommen, Freundchen!«, zischt er. Und an uns Schüler gewandt raunzt er: »Und hier gehen die Lichter aus. Ich erwarte, dass ihr in zehn Minuten raus seid und nach Hause marschiert!«

Vogel und Schubert nehmen Pavel in die Mitte und führen ihn aus der Turnhalle. Ich muss an zwei Polizisten denken, die einen

Schwerverbrecher eskortieren. Dann fällt die Turnhallentür zu und wir sind alleine.

Jetzt zittern mir auf einmal die Knie, als hätten sich meine Knochen in Götterspeise verwandelt. Ich kann es nicht fassen, wie kaltblütig Laser zwei Lehrern ins Gesicht gelogen hat. Ohne mit der Wimper zu zucken. Dabei haben doch alle gesehen, wie es wirklich war. Oder? Was ist eigentlich wirklich passiert? Habe *ich* vielleicht irgendwas übersehen? Was, wenn Pavel Laser tatsächlich zuerst geschlagen hat? Ich war ja die ganze Zeit mit meinem Handy beschäftigt. Was, wenn ich gerade nicht hingesehen habe und Pavel tatsächlich derjenige war, der Laser als Erster eine verpasst hat? Auf einmal bin ich mir nicht mehr sicher, was ich gesehen habe. Gut, dass ich den Mund gehalten habe. Nicht auszudenken, wenn ich losgelabert hätte, ohne zu wissen, was genau passiert ist, und damit meine große Liebe verraten hätte! Mir wird ganz flau bei dem Gedanken, wie Laser mich wohl angesehen hätte. Denn dann *hätte* er mich angesehen, aber hallo! Allerdings nicht so, wie ich es mir seit Monaten wünsche. Lasers blaue Augen wären bestimmt ganz eisig und hell gewesen, so wie vorhin, als er Pavel so verächtlich angestarrt hat. Ich möchte um nichts in der Welt, dass Lasers Verachtung einmal mir gilt.

Die Schüler zerstreuen sich langsam. Einige ziehen in Grüppchen ab, vier Mädchen stehen noch tuschelnd in der Ecke. Sie gucken zu Laser, der neben Tobi steht und leise mit ihm redet. Stella, die Hübscheste von den vieren mit ihren dunklen, glatten Madonnenhaaren und den braunen Kulleraugen, setzt ein strahlendes Lächeln auf, als Laser flüchtig zu ihr rübersieht. Blöde Bitch! Vielleicht kann ich noch so lange hier herumlungern, bis Laser geht, und mich unauffällig an seine Fersen heften? Vielleicht kommen wir ja draußen ins Gespräch. Oder auch nicht, denke ich mutlos, als Laser Stella ebenfalls angrinst. Ich mit meinen Chucks und mit Laser reden, wenn jemand wie Stella auf langen Gazellenbeinen hier herumsteht? Kann ich vergessen! Und ich könnte mich dafür ohrfeigen, dass ich es anscheinend immer noch nicht kapiert habe: Für Laser existiere ich nicht. Basta.

Gerade schlurfe ich zur Tür – zur Hölle mit Mutters Ratschlag: »Achte auf deine Haltung, Motte!« –, als mir jemand an die Schulter tippt. Laser!, schießt es mir durch den Kopf. Hastig fahre ich mir durch die Haare und versuche, ein verführerisches Lächeln aufzusetzen, ehe ich meine Stimme eine Oktave tiefer rutschen lasse, damit sie möglichst rauchig-verrucht klingt. Ich hab mal in einer Zeitschrift gelesen, das kommt bei Männern gut an. Mit einem gehauchten »Jaaa?« drehe ich mich um … und sehe direkt in Tobis irritiertes Gesicht. Nicht der! Ich fühle mich, als hätte ich das falsche Los gezogen: Statt des Hauptgewinns gibt's einen hässlichen Polyesterteddy.

Tobi mustert mich von oben bis unten, als würde ich jeden Morgen an einer Straßenecke die Obdachlosenzeitung verkaufen. »Du klingst so komisch, hast du was geraucht?«, fragt er.

»Nee!«, fauche ich und bin sauer auf mich selbst. Wie kann ich nur so doof sein und glauben, Laser würde mir nachrennen? »Und was willst du überhaupt?«, raunze ich ihn an.

Tobi stemmt die Arme in die Seiten. »Wieso hat der Polacke dich vorhin so angeglotzt, als er behauptet hat, wir lügen?« Etwas an Tobis Ton beunruhigt mich. Als würde ich ins Verhör genommen.

»Weiß ich doch nicht«, antworte ich und versuche dabei, so lässig wie möglich zu klingen.

Doch Tobi lässt nicht locker. »Du hast ziemlich weit vorn gestanden, als Laser den Polen … ich meine, als Laser … äh … *vom* Polen angegriffen wurde. Und du hattest dein Handy in der Hand!« Der Typ hat leider einen scharfen Blick.

Von meiner Mutter, die wie gesagt ein Pädagogikprofi ist, der immerhin Tag für Tag zwanzig aufgedrehte Gören im Zaum halten muss, die von ihren Biokost-orientierten Eltern direkt aus dem mit naturbelassenem Holzspielzeug ausgerüsteten, Elektrosmog-freien

Kinderzimmer ihres Öko-Einfamilienhauses in der Kita abgeliefert werden, habe ich gelernt: Eine Gegenfrage ist in brenzligen Situationen eine gute Strategie. Wenn meine Mutter und ich uns in den Haaren liegen, macht sie leider auch von dieser Methode Gebrauch. Weshalb es nach kurzer Zeit jedes Mal lautstark zwischen uns knallt.

Aber jetzt hole ich tief Luft und sage im besten Erzieherinnen-Tonfall: »*Was* willst du mir eigentlich sagen, Tobi?«

Tobi guckt belämmert. »Ich? *Dir? Sagen?*«

Er ist offenbar aus dem Konzept. Gut, denn eher würde ich mein Handy ins Klo schmeißen und hinterherspringen, als Tobi zu erzählen, dass ich nur deswegen so nah am DJ-Pult stand, weil ich Laser fotografieren wollte.

Tobi hat inzwischen seine restlichen Gehirnzellen, die nicht im Alkohol ertrunken sind, aktiviert und bohrt nach: »Hast du mit deinem Handy Fotos gemacht oder die Schubert angerufen, oder was?«

Ich erschrecke nun doch, denn mit seiner ersten Vermutung hat Tobi ins Schwarze getroffen. Jetzt nur nichts anmerken lassen, denke ich und gehe zum Gegenangriff über: »Sag mal, geht's noch? Woher soll ich denn bitte die Handynummer von der Schubert haben?«

Tobi zuckt mit den Schultern, starrt mich aber immer noch an, anscheinend erwartet er, dass ich noch etwas sage. Aber ich denke nicht daran. Überhaupt wird mir das jetzt alles zu blöd. Wieso spielt sich der Typ hier als Lasers Bodyguard auf? Hat Laser Tobi zu mir geschickt, weil er selbst keinen Bock hat, mit mir zu reden? Bei dem Gedanken kriege ich plötzlich eine Riesenwut. Stella kriegt ein Lächeln von Laser und ich den pickeligen Tobi an den Hals?

»Weißt du was? Bevor du das nächste Mal idiotische Fragen stellst, bestell dir vorher bei eBay noch'n bisschen Hirn!«, rate ich Tobi und rausche ab – möglichst cool, wie ich hoffe. Beim Rausgehen sehe ich noch aus dem Augenwinkel, wie Tobi blöd guckt, ehe er sich wieder zu Laser schleicht.

*

Zu Hause auf meinem Bett sitzend nehme ich das Handy in die Hand und betrachte es wie eine Kostbarkeit. Gleich werde ich Lasers Gesicht auf dem Display sehen! Ich habe vorher extra geduscht, obwohl Jo, der Freund meiner Mutter, immer meckert, wenn spätnachts noch das Wasser rauscht. Aber sein Gemotze ist mir egal. Erstens ist Jo nicht mein Vater und zweitens schmarotzt er für meinen Geschmack ziemlich. *Ich* habe ihn nicht gebeten, hier einzuziehen! Aber das spielt jetzt keine Rolle. Sogar die Zähne habe ich mir geputzt – und dabei immer nur an den Augenblick gedacht, in dem ich endlich mein Handy nehmen und das Foto von Laser betrachten werde. Es wird besser als jedes Betthupferl. Hoffentlich habe ich sein süßes Grinsen eingefangen.

Ich muss etwas herumprobieren, bis ich endlich kapiere, wie man ins Bildmenü kommt. Feierlich scrolle ich zur Funktion »Foto/Clips«. Ein verschwommenes Viereck mit dem heutigen Datum zeigt an, dass dieser Ordner Fotos enthalten muss. Kurz schießt mir die Frage durch den Kopf, ob ich mir lieber etwas anderes als die weite Schlafanzughose und das verwaschene, viel zu große T-Shirt anziehen soll. Im selben Moment geht mir aber auf, wie dämlich der Gedanke ist. Als ob Laser mich sehen könnte! Ich muss noch mal tief durchatmen, weil mein Herz so hämmert, dann drücke ich auf die Taste.

Tatsächlich, da ist Laser am DJ-Pult. Unwillkürlich lächle ich. Ich drücke fast meine Nase ans Display, um ihn möglichst groß zu sehen. Doch da bewegt Laser sich! Ich zucke so heftig zurück, dass ich mit dem Hinterkopf schmerzhaft gegen die Kopfstütze meines Bettes knalle. Vor Schreck fällt mir auch noch das Handy aus der Hand. Ich starre das Teil an und mein Herz rast. Wie kann das sein? Aber kein Zweifel: Laser bewegt sich! Erst nach ein paar Schrecksekunden kapiere ich, dass ich offenbar – in Motte-typischer Technikunkenntnis – statt zu fotografieren ein Video gedreht habe. Ich verfluche meine kindische Reaktion und die fünf *Harry Potter*-Bände, die ich gelesen habe – einen Moment dachte ich doch tatsächlich, Lasers Foto wäre lebendig geworden. Albern.

Auf dem Handyfilm tritt Laser gerade von hinten an Pavel heran und schlägt ihm mit der flachen Hand auf den Hinterkopf. Mit fliegenden Fingern drücke ich die Stopptaste. Ich will nichts mehr sehen, denn dann wäre es offensichtlich: Nicht Pavel hat Laser zuerst geschlagen, sondern umgekehrt. Aber: Hat Pavel nicht davor am DJ-Pult gestanden und etwas zu Laser gesagt? Bestimmt hat Pavel ihn übel beleidigt! Na klar, so muss es gewesen sein. Pavel hat Streit angefangen, Laser wollte ihm einen kleinen Denkzettel verpassen und Pavel hat sofort voll zugetreten. Erst mal tief durchatmen, ermahne ich mich. Pavel hat angefangen, er hat angefangen, er hat angefangen. Basta! Der Piepton einer ankommenden SMS reißt mich aus meiner Selbsthypnose.

»hi sweety, was geht?«

»prügelei auffer klassenfete.«

»von wegen: gymnasis sind nicht aso :-)!«

»laser hat was abgekriegt«

»wow! UND?«

»nix. nicht so wild. sorry nika, bin todmüde. XXX, motte«

Kapitel 2

Ein geschwänzter Geburtstag und ein Date

Ich renne durch den Schulflur. Und weiß nur eines: Ich muss Laser finden, sonst passiert etwas Schreckliches. Der Flur dehnt sich endlos aus und meine Füße bewegen sich so langsam, als würde ich durch Kaugummi waten. Ganz weit entfernt sehe ich eine zusammengekrümmte Gestalt am Boden liegen: Laser! Ich verdoppele meine Anstrengung, um zu ihm zu kommen. Ich kann mich selbst keuchen hören.

Endlich bin ich bei ihm angelangt. Jetzt sehe ich, dass er blutüberströmt ist. Ich stoße einen entsetzten Schrei aus. Hastig packe ich Laser bei den Schultern, um ihn umzudrehen. Ich bin mir ganz sicher, dass ich ihn jetzt küssen muss, und dann wird alles wieder gut. Schließlich kamen auf diese Weise auch Schneewittchen und Dornröschen wieder auf die Beine. Doch als ich Laser auf den Rücken drehe, hat er plötzlich Pavels Gesicht – und er durchbohrt mich mit seinem düsteren Blick …

»Motte, Motte, jetzt komm schon!«

Die Stimme meiner Mutter. Wieso die Stimme meiner Mutter? Was hat die denn in der Schule zu suchen?

»Marie-Lydia Berger, du wachst jetzt endlich auf!« Die Stimme hat jetzt einen strengen Unterton – üblicherweise ist das die letzte Warnung, ehe meine Mutter ernsthaft sauer wird.

25

Stöhnend schlage ich die Augen auf. Statt Laser oder – Hilfe! – Pavel vor der Linse zu haben, starre ich in die grünen Augen meiner Erzeugerin. Und statt in der Schule zu stehen, finde ich mich in meinem Bett wieder. Alles war nur ein Traum. Uff.

Ich grinse meine Mutter erleichtert an, doch die reißt mir ungeduldig meine Bettdecke weg. »Aufstehen, Mademoiselle! In 45 Minuten ist Abflug.«

Meine Miene drückt anscheinend ein ehrliches Fragezeichen aus, denn meine Mutter rollt die Augen.

»Jetzt sag nicht, dass du den neunzigsten Geburtstag von deinem Urgroßvater vergessen hast!«

»Oh Shit!«, rutscht es mir heraus.

Daran habe ich tatsächlich überhaupt nicht mehr gedacht. Urgroßvater Hermann feiert Geburtstag. Heute. Herzlichen Glückwunsch. Ich war noch nie ein Fan von Familienfesten, aber die Treffen mit meinen Urgroßeltern gehörten eindeutig in die Kategorie »Horrorevent«. Mein Urgroßvater hat null Humor, dafür kann er die Bibel auswendig und quält mich und den Rest der Familie, seit ich denken kann, gern mit Zitaten und Psalmen aus dem Ersten-Buch-des-Heiligen-Irgendwas. Bei meinem ersten Kontakt mit Urgroßvaters Faible für biblische Belehrungen muss ich etwa vier Jahre alt gewesen sein. Urgroßvater Hermann erzählte mir damals die Geschichte von Adam und Eva und natürlich »dem Sündenfall«, wie er mit bedeutungsvollem Blick sagte. Als Urgroßvater zu der sprechenden Schlange und ihrem Trick mit dem Apfel kam, der zur Vertreibung Adams und Evas aus dem Paradies führte, trat meine Urgroßmutter aus der Küche. Sie trocknete sich die Hände an ihrer Kittelschürze ab und hörte mit ernster Miene zu, wie Adam und Eva mit nichts als einem Feigenblatt bekleidet hochkant aus dem Garten Eden flogen.

»So«, sagte der Urgroßvater unheilschwanger zu mir, als er die Geschichte beendet hatte, »jetzt weißt du, warum es die Sünde auf der Welt gibt!«

Ich dachte damals eine Weile nach, dann fragte ich, total fasziniert: »Du, Urgroßopa, krieg ich zu Weihnachten auch eine Schlange, die sprechen kann?«

Daraufhin besprengte mich meine Uroma mit Weihwasser aus dem kleinen Becken, das im Flur hing, und murmelte irgendetwas von »Teufelswerk!«.

Mein Verhältnis zu Urgroßvater Hermann ist seitdem angespannt und daran wird sich auch nichts mehr ändern, jedenfalls nicht mehr in diesem Leben, schätze ich. Außer Nika weiß niemand, dass ich meinen Urgroßvater statt »Urgroßvater« oder »Urgroßvater Hermann« heimlich »Ice H.« nenne. Da die Stimmung in Urgroßvaters Nähe fast immer eisig ist und der Anfangsbuchstabe seines Namens, »H«, im Englischen wie »Äitsch« ausgesprochen wird, ist mir der Spitzname sofort eingefallen, als vor ein paar Jahren der gleichnamige Animationsfilm über die Eiszeit ins Kino kam.

Nun also antanzen zum Neuzigsten. Bei der Aussicht darauf, einen weiteren öden Nachmittag meines Lebens mit Ice H. und der ganzen Verwandtschaft zu verbringen, würde ich mir am liebsten wieder die Decke über den Kopf ziehen. Aber ich weiß, dass meine Mutter unerbittlich sein kann. Also murmle ich ein halbherziges »Jaja, ich komm gleich.«

Zum Glück zieht sie ab, ohne weitere pädagogische Geschütze aufzufahren.

Ich rapple mich ächzend hoch und greife gerade nach dem erstbesten Paar Socken, das auf dem Boden herumliegt, als mein Handy piept. Vermutlich Nika, der die Neugier bis unter die gepiercte Augenbraue steht. Seufzend drücke ich auf »Neue Nachricht lesen«.

»lust auf eis bei luigi's um 2? lukas«

Es ist nur ein Satz, aber der schafft es, meinen Herzschlag eine Sekunde lang aussetzen zu lassen. Erst nach drei Sekunden merke ich, dass ich mit offenem Mund aufs Handy starre, während das Blut in meinen Ohren rauscht. Das kann nicht sein. Laser schickt *mir* eine SMS? Das ist garantiert ein Scherz! Die Handynummer des Absenders kenne ich nicht. Vielleicht Tobi, der mir eins auswischen will und sich jetzt in der Vorfreude darauf kugelt, mich gleich voll auflaufen zu lassen. Für wie blöd hält der mich eigentlich? Ehe ich die Absendernummer anwähle, aktiviere ich vorsichtshalber die Funktion »Rufnummer nicht versenden«. Den Trick hat Nika mir mal gezeigt. Tja, Tobi, du bist nicht der einzige Schlaubi hier!

Jetzt tutet es einmal, unwillkürlich halte ich die Luft an. Es tutet noch mal, ich merke, wie meine Hand, die das Handy umklammert, so kalt und feucht wie eine Hundenase wird. Gerade als ich damit rechne, dass mich der Witzbold am anderen Ende durchschaut hat, knackt es in der Leitung.

»Lukas Grothauer hier, hallo?«, ertönt die Stimme, die ich sofort wiedererkenne. Denn es ist die einzige Stimme, die meinen Magen wie im Fahrstuhl nach unten rutschen lässt, während mir das Herz zwei Etagen höher Richtung Hals saust. Blitzschnell drücke ich auf »Auflegen«, während ich nach Luft schnappe, als wäre ich eine neue Rekordzeit über hundert Meter gelaufen.

Ich beobachte, wie meine Hand mit dem Handy zittert. Es war tatsächlich Laser. Er hat mir die SMS geschrieben. Er will mich. Na gut, er will mich *sehen*. In drei Stunden. Genau dann, wenn bei Urgroßvater Hermanns Geburtstag die Buttercremetorte aufgetischt wird.

*

»Was soll das heißen, du kannst nicht mit? Verflixt noch mal, Motte, hör mit dem Theater auf!«

Ich presse die Lippen zusammen. Meine Mutter ist auf 180, aber diesmal lasse ich mich nicht einschüchtern. Denn diesmal geht es um ... na ja, nicht gerade um Leben und Tod, aber um so was Ähnliches. Denn ich weiß, dass ich mich sterbenselend fühlen werde, wenn ich nicht zu dem Treffen mit Laser kann. Deswegen muss ich jetzt alle Willenskraft zusammennehmen.

»Das heißt, dass ich nicht mit zu Urgroßvaters Geburtstag kann. Nika geht's nicht gut, die braucht mich«, lüge ich und hoffe auf meine Überzeugungskraft.

Meine Mutter richtet die Augen zur Decke. Ich weiß, dass sie mich am liebsten anbrüllen würde, aber sie beherrscht sich. Jo steht neben ihr und guckt abwechselnd auf den Boden und die Uhr, damit er nicht in die Mutter-Tochter-Diskussion mit reingezogen wird. Weichei. Jo kuscht vielleicht vor ihr, aber ich nicht! Ab heute. Deswegen stelle ich auf Durchzug und lasse ihre Argumente »Es ist schließlich dein Urgroßvater … schon alt … könnte sein letzter Geburtstag sein … lange nicht mehr gesehen« an mir vorbeirauschen. Erst als sie den verbalen Vorschlaghammer rausholt: »Deswegen sagst du Nika ab und kommst mit, basta!«, schrillt bei mir die Alarmglocke.

Von wegen »Basta!«. Ich wappne mich gegen ihren Zorn und schiebe trotzig das Kinn vor. »Ich lasse mir nicht mehr vorschreiben, was ich tun oder wohin ich gehen soll. Ice … äh … Urgroßvater Hermann hat sich doch nie für mich interessiert. Der hat gar keinen Bock auf mich! Ich soll hier nur die Verzierung auf der Geburtstagstorte spielen, damit er sich einbilden kann, dass die ganze Familie es super findet, sich den ganzen Nachmittag lang anzuöden! Aber in die Nummer kriegt ihr mich nicht mehr rein!«

So, jetzt ist es raus. Ich muss nach Luft schnappen, so hastig ist das alles aus mir herausgesprudelt. Aber stimmt doch: Bisher hat Ice H. immer nur an mir rumgemeckert, wenn wir uns gesehen haben. Wieso bilden sich die Erwachsenen eigentlich ein, dass man immer alle Belehrungen und Bemerkungen schluckt, nur weil man »das Kind« ist oder »zur Familie gehört«?

Meiner Mutter hat es kurz die Sprache verschlagen.

Au weia, gleich bricht das Gewitter richtig heftig los, denke ich. Ich wappne mich schon gegen das Donnerwetter, als sie sich plötzlich abwendet.

»Wie du meinst«, sagt sie nur tonlos.

Ich bin so perplex, dass ich sie nur stumm anstarre, sie würdigt mich unterdessen keines Blickes.

»Manche wären froh, wenn sie noch eine Familie hätten, die sich auf sie freut«, sagt sie – an niemand Bestimmten gerichtet.

Doch ich weiß, was sie meint, und sofort kneift mich ein heftiges Schuldgefühl im Magen. Es geht um ihre Mutter – meine Oma Lydia. Ich habe sie nie kennengelernt. Drei Jahre, bevor ich auf die Welt kam, war ohne Vorwarnung plötzlich ein Blutgefäß in ihrem Kopf geplatzt. Sie war noch in dem Rettungshubschrauber gestorben, der sie zur Klinik geflogen hatte. Wenn meine Mutter von diesem Tag erzählt, an dem ihre Mutter plötzlich über Kopfweh geklagt hatte und gleich darauf ohnmächtig umgefallen war, schießen ihr immer noch Tränen in die Augen. Sie vermisst meine Oma auch noch zwanzig Jahre nach ihrem Tod und hat mich mit zweitem Namen »Lydia« genannt – nach ihr.

»Komm, Jo, wir müssen los«, sagt sie jetzt und verschwindet, ohne auch nur »Ciao« zu sagen.

Jo folgt ihr wortlos. Wie ein Hund seinem Herrchen, denke ich gehässig. Ich stelle mir Jo auf vier Beinen vor, wie er hechelnd meiner Mutter zum Auto folgt und brav in den Kofferraum springt. Aber eigentlich will ich nur nicht an den Gesichtsausdruck denken, den meine Mutter gerade hatte. Er hat gesagt: »Ich bin nicht böse, ich bin enttäuscht.« So versucht Nikas Mutter auch immer, ihre Tochter kirre zu machen. Ich habe jedes Mal gelacht, wenn Nika ihre Mutter nachgeäfft hat. Aber jetzt ist mir nicht zum Lachen zumute. Wenn ich ehrlich bin, muss ich zugeben: Irgendwo ganz tief drin fühle ich mich schäbig. Drücke ich mich nur davor, einem alten Mann eine Freude zu machen, der neunzig Jahre auf dem Buckel hat? Was, wenn das tatsächlich sein letzter Geburtstag ist?

Ach, Quatsch, rufe ich mich gleich darauf zur Ordnung. So gut, wie Ice H. noch auf den Beinen ist, schafft der locker den Hundertsten. Nur die Guten sterben jung.

Ich schüttle die düsteren Gedanken ab und zwinge mich, ab jetzt nur an mein Date mit Laser zu denken. Was soll ich überhaupt anziehen? Oh Gott, ich habe nichts zum Anziehen! Jedenfalls nichts, was jemandem wie Laser gefallen könnte, oder? In Gedanken scanne ich hektisch meinen Kleiderschrank. Ein Stück nach dem anderen wird verworfen. Rock? Kleid? Alles spießig! In der weiten grünen Baggy sehe ich aus, als würde ich gewohnheitsmäßig mit einer Trillerpfeife um den Hals auf dem Truppenübungsplatz stehen und ein paar Soldaten durch den Dreck robben lassen. Die weiße Röhrenjeans macht Storchenbeine – fehlt nur noch der rote Schnabel und ich kann mich unter Naturschutz stellen lassen. Die Dark-Denim-Jeans? Geht vielleicht – mit dem richtigen Oberteil. Ich renne zurück in mein Zimmer und zerre hastig Shirts, Pullis und Tops aus dem Schrank. Verzweifelt betrachte ich den bunten Stoffhaufen auf dem Bett. Nichts davon gefällt mir. Alle Klamotten scheinen mich förmlich anzuschreien: »Wir kommen aus Taiwan und hingen mit unseren 500 Zwillingsbrüdern bei H&M auf der Schnäppchenstange!« Frustriert denke ich, dass meine Klamotten gegen Lasers US-Label-Zeug wahrscheinlich nach Marke »Hundejahre« aussehen. Der Prinz und das Aschenbrödel.

Und was mache ich mit meinen Haaren? Offen lassen, zusammenbinden, hochstecken? Ist noch genügend Wimperntusche da, damit man nicht nur Froschaugen, sondern auch ein paar Wimpern sieht? So viel Adrenalin floss das letzte Mal kurz vor der Führerscheinprüfung durch meine Adern. Die Erlaubnis für »begleitetes Fahren« habe ich vor wenigen Wochen pünktlich zu meinem 17. Geburtstag erhalten – mit meiner Mutter als offiziell eingetragener Beifahrerin. Ich wünschte, es gäbe auch ein paar Pedale und Schalter, die ich benutzen könnte, um Laser zu beeindrucken. In jedem Fall Gas geben, schießt es mir durch mein armes, von der Klamottenfrage schon hoffnungslos überfordertes Hirn und ich muss kichern. Ein kleiner Anflug von apokalyptischem Humor, denn es sind nur noch neunzig Minuten, bis ich Laser bei Luigi's treffe.

Apropos, erst mal muss ich ihm zusagen, vorhin habe ich ja gleich wieder aufgelegt. Unter dem Klamottenberg wühle ich mein Handy hervor und tippe: »d'accord«. Zufrieden drücke ich auf »Senden«. Die SMS ist knapp, cool und zeugt gleichermaßen von Intellekt und Humor.

Zwei Sekunden später könnte ich mich beißen. Was wird Laser von dieser SMS halten? Habe ich den Apostroph überhaupt richtig gesetzt? Es ist zu spät, die SMS ist raus. Eigentlich ist es jetzt auch schon egal, was ich anziehe. Vielleicht wäre eine bunte Kappe mit ein paar Glöckchen dran ganz passend, so wie ich mich eben zum Narren gemacht habe. Wahrscheinlich warte ich später vergeblich bei Luigi's, weil Laser mit einer, die sich einbildet, intellektuell und geheimnisvoll zu wirken, sich aber einfach nur zum Affen macht, nicht mal einen Espresso trinken will!

Trotzdem ziehe ich mich in den verbleibenden 45 Minuten noch viermal um, erst dann traue ich mich aus dem Haus. Zwar haben sich meine Locken – wie immer – hartnäckig jeglichen Stylingprodukten widersetzt und kringeln sich – ebenfalls wie immer – nach Belieben in alle Richtungen, aber dafür betonen meine dreifach getuschten Wimpern meine grünen Augen, die heute – ich mustere mich selbst erstaunt im Spiegel – anders als sonst aussehen. Größer und … irgendwie funkelnd. Das muss die Aussicht darauf sein, mit Laser zu reden und vielleicht sogar – ich traue mich kaum, daran zu denken, weil ich insgeheim abergläubisch bin und Panik habe, mir meinen Wunsch durch zu große Hoffnung zu verderben – nahe bei ihm zu sitzen? Allein bei dem Gedanken daran spüre ich die wohlvertraute Röte meinen Hals hinaufklettern. Nur nicht in Gegenwart von Laser rot werden, das wäre der absolute Super-GAU!

Ich versuche, möglichst ruhig zu atmen. Das hat meine Mutter mir mal beigebracht, als sie mit ihren Kindergartenkids so eine Entspannungstechnik übte. Hat bei den hyperaktiven Zwergen sicher genauso wenig funktioniert wie bei mir jetzt. »Cool down«, sage ich streng zu mir selbst. Noch ein kurzer Kontrollblick in den Spiegel, dann stecke ich mit vor Nervosität klammen Fingern Geld, Schlüssel und Handy ein und mache mich auf den Weg, um mein Fahrrad aus dem Keller zu holen. Der Countdown läuft.

*

Um genau 14:07 Uhr betrete ich das Luigi's. Ich habe mir extra Zeit gelassen, um nicht wie eines dieser armseligen Mäuschen zu wirken, die bei einer ersten Verabredung schon eine halbe Stunde vorher da sind, weil sie sonst nie ein Date haben. Nein, ich muss mich schließlich jeden Tag zwischen mehreren Verabredungen mit tollen Typen entscheiden. Ich weiß, wie das Spiel läuft. Und die Erde ist eine Scheibe.

Ich bin so beschäftigt damit, mich mit stummen Selbstgesprächen von meinem Lampenfieber abzulenken, dass ich schon mitten im Luigi's stehe, ehe ich feststelle: Laser ist nicht da. Oh Gott, er hat unser Date vergessen. Oder er hat den Bus verpasst! Nein, sein Bike hat einen Platten! Er musste seine Mutter ins Krankenhaus fahren! Zu seinem Vater in die USA fliegen! Er ist verunglückt! Die verschiedenen Möglichkeiten rasen gleichzeitig durch meinen Kopf. Bis sich ein einziger realistischer Grund vor all meine fadenscheinigen Ausreden schiebt: Laser ist nicht gekommen, weil er mich total bescheuert findet. Und ich stehe hier wie bestellt und nicht abgeholt. Selbst wenn ich jetzt in löchriger Unterwäsche und sonst nichts mitten im Café stünde, das Gefühl der Blamage könnte nicht schlimmer sein. Laser hat mich versetzt. Wie betäubt falle ich auf einen Stuhl. Die Enttäuschung ist so groß, dass mir plötzlich wie bei einem heftigen Muskelkater alles wehtut. Ich habe das Gefühl, nicht einmal mehr die fünf Schritte zur Tür gehen zu können. Wie konnte ich nur so bescheuert sein und erstens denken, dass Laser seine SMS ernst gemeint hat? Und zweitens ihm diese total peinliche Antwort schicken? Und last, but not least tatsächlich hier auftauchen und nun allein am Tisch sitzen, damit alle sehen, was für eine Idiotin ich bin?

Ich klaube meine letzten Krümel Verstand zusammen und beschließe, dass jetzt ein schneller Abgang nötig ist. Und das Wichtigste: Lässig bleiben! Gerade als ich mein Gesicht zu einem einigermaßen – wie ich hoffe – kühl-überlegenen Ausdruck zusammengesetzt habe und aufstehen will, taucht das strahlende Lächeln des netten Italieners, der hier schon seit Urzeiten bedient, an meinem Tisch auf.

»Bella Signorina, was darf's sein?«, fragt er und zwinkert mir gut gelaunt zu.

Einmal 'ne Ganzkörper-Schönheits-OP und eine doppelte Portion Stimmungsaufheller, liegt es mir auf der Zunge, doch ich bringe kein Wort heraus und kann nur stumm den Kopf schütteln. Wenn ich jetzt etwas bestelle, muss ich warten und das Zeug dann auch noch austrinken. So lange schaffe ich es nie und nimmer, meine Tränen zu unterdrücken. Zwischen Schlüsselbein und Kinn fühle ich schon das trockene Brennen, das in kürzester Zeit hochsteigen und erst in der Nase kratzen wird, ehe es zum Schluss in Bächen aus meinen Augen läuft. So weit darf es auf keinen Fall kommen! Ich bücke mich und greife hastig nach meiner Tasche unter dem Tisch, als plötzlich die Stimme aller Stimmen »Hi« sagt.

Laser! Ich fahre so schnell hoch, dass ich mir fast den Hinterkopf an der Tischplatte zertrümmere. Kurz befürchte ich ein Schädeltrauma. Ist das tatsächlich Laser oder doch eine Art Fata Morgana, ausgelöst durch einen heftigen Schlag auf irgendeine wichtige Hirnregion?

Sein Mund verzieht sich zu einem breiten Grinsen und durch die Sternchen, die vor meinen Augen tanzen, höre ich ihn fragen: »Ist hier noch frei?«

*

»Echt? Und was hat dein Vater dann gemacht?« Mir ist klar, dass ich an Lasers Lippen hänge. Aber ganz ehrlich: Zum Teufel mit der Emanzipation. In meinem ganzen Körper prickelt es und ich fühle mich so leicht und beschwingt, als hätte die Wettervorhersage Schneeregen angesagt und stattdessen ist plötzlich die Sonne durchgebrochen. Hoch Laser verdrängt die mütterlichen Tiefausläufer.

»Najaaa«, sagt Laser langgezogen, während sich erneut ein Grinsen auf seinem Gesicht ausbreitet.

Mir zittern die Knie, sodass ich hastig die Beine übereinanderschlagen muss, damit der Tisch nicht wackelt.

»Er wollte um nichts in der Welt zugeben, dass er Stunts eigentlich noch nie gemacht hat. Also hat er sich echt am Filmset in die Luft sprengen lassen. Danach hat es zwei Tage gedauert, bis unter der Dusche kein Ruß mehr aus seinen Haaren kam, hat er gesagt. Aber den Filmtypen hat's gefallen. Tja, und seitdem ist mein Dad in Hollywood.«

Ich bin wie benommen von Lasers Worten. Wie geil ist das denn, einen Stuntman als Vater zu haben?! Kein Wunder, dass Laser vor Selbstbewusstsein nur so strotzt. Und trotzdem hat er mir eine SMS geschrieben. Mich wollte er treffen und mit mir sitzt er jetzt hier und quatscht. Ich fühle mich selbst wie in einem Hollywoodfilm.

»Und was machst du so in deinem anderen Leben? Ich meine, nach der Schule?«, fragt Laser und leckt genießerisch den Löffel ab, den er vorher in seinen Latte macchiato getaucht hat.

Ich kann den Blick nicht von ihm lassen. Wie es sich wohl anfühlt, Laser zu küssen? Er hat einen schmalen, aber schön geschwungenen Mund. Bestimmt ist er ein guter Küsser. Nicht so

wie Ben, der mir an meinem 14. Geburtstag den ersten Zungen-
kuss verpasste. Auf der Geburtstagsparty zog er mich in eine
dunkle Ecke neben sich auf einen Sitzsack, wobei wir beinahe zu
Boden gingen, weil das Ding so instabil war wie eine Luftmatratze
bei Wellengang. Über uns schallte *Ruby* von den Kaiser Chiefs
aus den völlig übersteuerten Boxen, während Ben meinen Kopf
packte. Wahrscheinlich hatte er sich diesen Griff aus einer dieser
US-Highschool-Serien abgeguckt. Ben nahm mein Gesicht zwar
filmreif in beide Hände, zog mir allerdings nicht nur den Hals
lang, sodass ich mir vorkam wie eine Giraffe, sondern hielt mir
auch versehentlich die Ohren zu. Wenigstens lief ich auf diese Weise nicht Gefahr, am nächsten Morgen mit Tinnitus von der lauten
Musik aufzuwachen. Der erste Versuch von Ben, mich zu küssen,
endete mit einer Kollision unserer Nasen. Durch den schmerzhaften Aufprall musste ich erst mal heftig niesen. Eigentlich dachte
ich, das wäre es gewesen, doch Ben war hartnäckig. Leider fühlte
sich seine Zunge beim Herumstochern in meinem Mund an wie
ein Stück rohe Leber. Die konnte ich noch nie leiden. Danach hatte
ich auch erst mal genug vom Knutschen. Als ein Dreivierteljahr
später Fabi auftauchte und mich erst zum Bladen und dann zum
Eisessen einlud und zwischen Schokoladen- und Himbeereis einen
Kuss einschob, war ich zuerst wenig begeistert. Aber Fabi war
schon 17 und ein Profi in Sachen Küssen. 17 Monate waren wir
zusammen, dann zogen Fabis Eltern weg und er zog natürlich mit.
Seitdem herrscht bei mir knutschfreie Zone, vom Rest ganz zu
schweigen. Dabei bin ich weder verklemmt noch naiv. Ich war mit
Nika auch schon auf diversen Pornowebsites im Netz unterwegs,
obwohl ich die Bilder da eher abschreckend fand.

Ich weiß auch, dass die meisten Mädchen in meiner Klasse
schon übers Petting hinausgekommen sind – einige wie Jana geben
damit wer weiß wie an. Ich tue immer so, als wäre ich auch kein
unbeschriebenes Blatt mehr. Nur Nika weiß, dass ich noch nie mit
einem Jungen geschlafen habe. Mit Fabi wäre es an dem Abend,

an dem er mir sagte, dass er wegziehen würde, fast so weit gewesen. Irgendwie dachte ich, es wäre vielleicht ein guter Abschluss für unsere gemeinsame Zeit. Wir hatten die Wohnung für uns allein und es lag irgendwas zwischen Immer-noch-Verliebtsein und einem beginnenden Abschiedsschmerz in der Luft. Aber im letzten Moment wollten wir dann beide doch nicht. Ich, weil ich Angst hatte, dass es mir nicht nur körperlich wehtun könnte, und Fabi, weil er sich schäbig vorgekommen wäre, erst mit mir zu schlafen und dann in eine andere Stadt abzuhauen.

Allerdings habe ich Sex bisher auch nicht vermisst. Ich denke mal, es verhält sich damit wie mit dem Kaffeetrinken: Die erste Tasse schmeckt eigentlich gar nicht und wenn man es bisher nicht gewohnt war, welchen zu trinken, fehlt einem auch nichts. Hat man aber erst mal damit angefangen, gehört es irgendwann einfach dazu. Dennoch weiß ich natürlich, dass ich mit knapp 17 Jahren in puncto Unerfahrenheit eine Ausnahme bin. Andererseits will ich aber nicht mit einem Typen in die Kiste springen, nur um mir zu beweisen, wie cool und unverklemmt ich doch bin.

Darüber hatte ich auch eine der wenigen harten Diskussionen mit Nika. Die sieht die Sache nämlich lockerer und hat ihre Unschuld schon mit 15 verloren. »Ich will mich nicht verlieben, ich will Spaß«, ist Nikas Standardspruch, wenn sie mal wieder einen Typen abschleppt. Weil ich während unseres Streits nicht zugeben wollte, dass ich mir wie ein unerfahrenes kleines Mädchen vorkomme, sagte ich, dass ich wenigstens vorher mit einem Jungen drei Worte wechseln möchte, ehe ich mit ihm in der Kiste lande.

Nika konterte empört: »Hey, ich *wechsle* mit den Typen drei Worte, klar?«

Worauf mir herausrutschte: »Ach ja? Was denn: ›Zieh dich aus‹?«

Nika war erst beleidigt, musste am Ende aber doch lachen.

Eigentlich habe ich hinter meiner großen Klappe nur verbergen wollen, dass ich noch warten möchte. Ziemlich altmodisch, ich weiß. Aber ich möchte eben, dass *mein* erstes Mal aus Liebe passiert. Und vielleicht ist das ja heute ein Anfang. Gerade stelle ich mir vor, wie Lasers Lippen sich auf meinen Mund legen mit einem sanften, aber festen Druck und dann …

Ich muss mich wohl unwillkürlich etwas vorgebeugt haben. Denn Laser sieht mich fragend an. Siedend heiß wird mir klar, dass er eine Frage gestellt haben muss und jetzt offenbar auf eine Antwort wartet. Mir bricht der Schweiß aus – was hat Laser gleich noch mal gesagt? Weil ich ihn wie hypnotisiert angestarrt habe, ist mir total entgangen, auf was ich jetzt antworten soll.

»Ähm, also … ich … hm, kann ich die Frage noch mal hören?«, stammele ich wenig geistreich.

Laser prustet los und ich laufe – nun also doch! – knallrot an. Garantiert habe ich mich völlig debil angehört. »Kann ich die Frage noch mal hören?« Als hätte ich gerade die Millionenquizfrage bei Günther Jauch verpasst. Am liebsten würde ich auf der Stelle unter dem Tisch verschwinden, so hilflos fühle ich mich. Sag was, rette dich, bevor er dich für komplett gaga hält, versuche ich mir selbst zu befehlen.

»Na gut, dann nehme ich den Telefonjoker«, quetsche ich schließlich möglichst cool heraus.

Laser lacht, aber jetzt klingt es nicht mehr nach Auslachen. Ich habe ihn zum Lachen gebracht! Gleich geht es mir besser.

»Bin noch ein bisschen neben der Kappe wegen der Party gestern«, murmle ich entschuldigend.

Laser wird wachsam. Er versenkt den Blick aus seinen meerblauen Augen in meine Froschteichpupillen, sodass mir ganz anders wird und mein Inneres anfängt zu flattern wie ein paranoider Kanarienvogel im Käfig.

Zuhören!, ermahne ich mich stumm – diesmal muss ich *bitte* eine normale Antwort geben, statt wieder blöd rumzustammeln.

»Sag mal …«, beginnt Laser und ich merke erstaunt, dass sich auf einmal ein Zögern, eine kleine Unsicherheit in seine Stimme schleicht. »Die Sache gestern mit Pavel«, fährt er fort – und verstummt dann erneut. Wieder blickt er mich an, als erwarte er eine Antwort von mir.

Ich muss schlucken, so durcheinander bin ich. Was soll ich jetzt sagen? Will Laser von mir hören, dass ich gesehen habe, wie er als Erster zugeschlagen hat? Soll ich ihn fragen, wie es dazu kam? Oder will Laser einfach nur abchecken, ob ich Bescheid weiß? Ich beschließe: Zeit für die Gegenfrage-Stategie.

»Hat der Tritt dich schlimm erwischt?«, frage ich leise. Gleichzeitig habe ich das Gefühl, nicht genug Luft zum Reden zu haben, so sehr bringt mich Lasers Blick aus der Fassung.

Jetzt lächelt er auch noch und legt seine Hand auf meine. Ich erstarre wie ein schockgefrostetes Murmeltier. Vor Überraschung und weil ich jetzt in dieser Sekunde möchte, dass jemand die Welt anhält und die Zeit abschafft. Ich will nie wieder woanders sein als hier im Luigi's, mit niemand anderem als mit Laser. Und der soll für immer und ewig seine Hand dort lassen, wo sie jetzt ist: auf meiner nämlich. Doch Laser zieht, nicht ohne meine Finger langsam und irgendwie zärtlich zu streifen, die Hand weg und lehnt sich lässig zurück.

»Ein Guter hält's aus und um einen Schlechten ist's nicht schade«, grinst er.

Ich muss lachen.

Dann entsteht ein Schweigen. Ich schlucke wieder trocken und denke verschwommen, dass ich jetzt irgendwas Schlagfertiges, Außergewöhnliches sagen oder tun sollte, aber mir fällt einfach nichts ein.

Laser schaut mich immer noch an. »Sag mal …«, fängt er wieder an.

Ob er, nachdem er schon meine Hand gehalten – na, gut *gestreift* – hat, ansetzt, mich vielleicht jetzt – ich wage kaum, daran zu denken – zu küssen? An mir soll es jedenfalls nicht liegen. Sicherheitshalber probe ich einen einladenden Augenaufschlag.

»Hm?«, frage ich und versuche, möglichst verführerisch zu klingen. Laser holt tief Luft. »Hast du auf der Party eigentlich Fotos mit deinem Handy gemacht?«, fragt er unvermittelt.

Seine Worte sind wie ein kalter Regenguss. Jäh erwache ich aus meinem Kuss-an-einem-Frühlingstag-Traum und zucke zusammen. Woher weiß Laser …? Na klar, Tobi fällt mir auf einmal ein. Nur der kann Laser erzählt haben, dass er mich mit dem Handy in der Hand gesehen hat. Er hat ja gestern Nacht schon so blöde Andeutungen gemacht. Mir ist fast übel vor Enttäuschung, weil mich Laser wie bei der spanischen Inquisition verhört, statt mich – verdammt noch mal – endlich zu küssen. Gleichzeitig ist mir klar, dass ich auf gar keinen Fall zugeben kann, Laser und die Sache mit Pavel tatsächlich gefilmt zu haben. Ich habe die Prügelei ja auch nur deswegen auf dem Handy, weil ich total überrumpelt war und wie paralysiert einfach draufgehalten habe. Aber wenn ich das Laser jetzt verrate, gebe ich damit ja auch zu, dass ich auf ihn stehe und mich wie ein krankes Groupie benehme. Und dann kann ich gleich meine Sachen packen und auf die abgelegenste Schaffarm in ganz Neuseeland auswandern. Denn ich könnte Laser dann nie mehr in die Augen sehen. Ganz abgesehen davon, was passiert, wenn die anderen davon erfahren. Im Geiste sehe ich mich schon mit hochrotem Kopf auf dem Schulhof durch eine Gasse kichernder Mitschüler gehen, die mir tuschelnd hämische Blicke zuwerfen. Allen voran Tobi. Schnitt, nächstes Bild: Ich versuche, zwischen endlos grünen Hügeln ein blökendes, strampelndes Schaf zu scheren.

Krampfhaft unterdrücke ich meine aufsteigende Panik. Um überhaupt erst mal zu reagieren, schüttle ich den Kopf. Dann hole ich tief Luft und würge heraus: »Nö, ich hatte 'ne SMS von meiner Freundin und … ähm … es war so dunkel, deswegen hab ich mir das Handy vors Gesicht gehalten.« Innerlich atme ich auf. Das war ja wohl keine schlechte Begründung, wenn man bedenkt, dass mir die Ausrede gerade eben eingefallen ist. Der Flieger nach Neuseeland startet ohne mich.

Den Ausdruck, der sich jetzt auf Lasers Gesicht abzeichnet, kann ich beim besten Willen nicht deuten. Irgendwie glatt und kühl. Meine neu gewonnene Sicherheit fällt schlagartig in sich zusammen wie ein Kuchen ohne Mehl.

»Nika und ich schicken uns oft mitten in der Nacht SMS, wir kennen uns schon ewig und ...« Ich merke, dass ich einfach drauflosplappere, um das seltsame Schweigen, das sich zwischen mir und Laser ausgebreitet hat, zu brechen. »Und ... na ja, wir wissen eben alles voneinander«, ende ich lahm. Das war ja wohl eine miese Performance, denke ich.

Laser scheint erst jetzt zu registrieren, dass ich immer noch mit ihm spreche. Er lächelt, doch im Gegensatz zu vorhin ist es eigentlich nur ein Hochziehen der Mundwinkel, seine Augen kriegen keinen Fältchenkranz und der Blick ist irgendwie leer. Desinteressiert, um korrekt zu sein. Mein Herz hämmert, aber diesmal ist es ein Angstklopfen, weil ich es geschafft habe, alles kaputt zu machen. Aber wie soll ich Laser klarmachen, dass ich ihn anschwindeln *muss*, da sonst erst recht alles im Eimer wäre?

»Die beste Methode, einen Typen zu vergraulen, ist, ihm hinterherzurennen«, hat Nika mich mal gewarnt. Sie war nämlich einmal, ein einziges Mal im Leben verknallt: in einen Typen aus ihrer Klasse. Und weil sie nie hinterm Berg hält mit dem, was sie fühlt und denkt, hatte Nika ihm das auch ziemlich schnell ziemlich deutlich gemacht. »Der war schneller weg als der Dämon aus dem Körper der Göre in *Der Exorzist*«, erzählte sie mir später gekränkt. Obwohl sie sich bemühte, ihre Stimme so spöttisch wie immer klingen zu lassen, hörte ich den bitteren Unterton heraus. Sonst immer obenauf, erlebte ich meine beste Freundin damals zum ersten Mal ziemlich bedröppelt.

Und jetzt stecke ich selbst in dieser Klemme: Sage ich Laser die Wahrheit, blamiere ich mich bis auf die Knochen und er wird künftig einen großen Bogen um mich machen. Nicht mal mehr ansehen wird er mich, wetten? Aber im Moment tut er das ja auch nicht. Obwohl ich mir alle Mühe gegeben habe, heil aus der Sache rauszukommen. Am liebsten hätte ich ihn gefragt, was er von mir erwartet.

Doch alle Gedanken und Fragen erledigen sich. Tief verzweifelt sehe ich, wie Laser nach einem Geldschein angelt, den er achtlos auf den Tisch legt. »Sorry, ich muss los, noch was erledigen«, sagt er über meinen Kopf hinweg.

Ich kann nur nicken, wobei ich das Gefühl habe, an meinem Kopf seien ein paar Schnüre befestigt, die diesen gegen meinen Willen ruckartig rauf und runter bewegen. Am liebsten würde ich Laser bitten, noch zu bleiben. Ich möchte wieder in das lockere Gespräch vom Anfang zurück, ich möchte Laser alles erklären …

»Wir sehen uns, ciao«, sagt er und schenkt mir noch eines dieser mechanischen Lächeln.

Wieder kann ich nur nicken wie eine Marionette. In Gedanken packe ich mich zurück in die Augsburger Puppenkiste. Schnüre einrollen, Deckel zu, ausrangiert.

In der nächsten Sekunde klappt schon die Tür und Laser ist verschwunden. Nur ein Schimmer von seinem Augenblau scheint noch kurz in der Luft zu hängen. Nach ein paar weiteren Sekunden stehe ich benommen auf und torkle auf steifen Beinen – so kommt es mir jedenfalls vor – zur Tür. Draußen hat es begonnen zu regnen. Kein Wunder, denke ich, passt zu dem ganzen beknackten Tag. Meine Mutter ist sauer auf mich, mein Urgroßvater lässt sich wahrscheinlich vor der gesamten Verwandtschaft darüber aus, wie enttäuscht er von seiner Urenkelin ist, und Laser …

Hier halte ich vorsichtshalber das innere Stoppschild hoch. Wenn ich jetzt über Laser und das Treffen gerade eben nachdenke, verschmiert die so sorgfältig aufgetragene Wimperntusche nicht nur wegen der Regentropfen. Also versuche ich, einfach gar nicht zu denken, und beginne, meine Schritte zu zählen. Bei 21 fangen die Tränen an zu laufen.

Kapitel 3

Wahrheit oder Pflicht?

Hast du schon gehört?« Janas Kopf schnellt von hinten über meine linke Schulter, die Stimme dicht an meinem Ohr erschreckt mich fast zu Tode. Wie früher beim Kasperletheater, als aus irgendeiner Ecke der Teufel oder das Krokodil unvermittelt auftauchten und die Kinder jedes Mal einhellig kreischten. Ich kreische nicht. Ich bin unausgeschlafen und schlecht drauf. Schlimm genug, dass meine Mutter, nachdem sie mit Jo von Ice H.s Geburtstag gekommen war, das ganze Wochenende keine drei Sätze mit mir gewechselt hat. Wie eine schimmelige Karotte hat sie mich behandelt. Außerdem habe ich gestern bis spät in die Nacht den Laser-Schlamassel mit Nika bis in alle Einzelheiten durchdiskutiert. Eine Lösung hatte aber auch Nika nicht parat. »Am besten du vergisst den Typen. Entweder war er nur so freundlich, weil er dich aushorchen wollte, dann ist er ein Arsch. Oder er ist 'ne gespaltene Persönlichkeit, dann solltest du erst recht die Finger von ihm lassen«, lautete ihr Fazit.

Aber Laser vergessen? Vielleicht, wenn ich mich einer Herztransplantation unterziehen würde, denke ich grimmig, während ich zum Biounterricht schlurfe.

Springteufel Jana verbessert meine Laune nicht gerade, aber immerhin lasse ich mich zu einem vergähnten »Was denn?« als Reaktion auf den Tratsch-Überfall hinreißen. Was wird sie wohl loswerden wollen? Dass sie und Rob nach der Klassenfete noch geknutscht haben? Und der Vogel sie dabei erwischt hat? Spitzenstory, ich muss allein bei dem Gedanken daran erneut gähnen.

Janas Gesicht glüht unter den blond gefärbten, dünnen Haaren, die sie zu einem Bob getrimmt hat, der aussehen soll wie die total angesagte Frisur, die die ganzen Filmstars jetzt tragen – Fransenpony inklusive. Bei Jana wirkt der Schnitt aber eher wie eine gelbstichige Duschhaube. Mit weit aufgerissenen Augen, die vor Sensationslust fast rauskullern, kommt die Duschhaube noch näher. Instinktiv weiche ich zurück – plumpe Vertraulichkeit konnte ich noch nie ausstehen.

»Pavel hat 'nen Schulverweis gekriegt! Er ist ab sofort beurlaubt«, flüstert Jana so laut, dass zwei meiner Mitschüler es ebenfalls hören und neugierig rübergucken. Zufrieden mit der Wirkung blickt sich Jana um und fügt hinzu: »Und nach den Ferien soll ein Lehrerausschuss entscheiden, ob der Pole überhaupt noch mal wiederkommt oder endgültig von der Schule fliegt!«

Ich kann Jana nur stumm anstarren. Vage muss ich daran denken, dass die Osterferien ja in vier Tagen beginnen. Und danach würde Pavel vielleicht nicht wiederkommen.

»Woher weißt'n das?«, würge ich mühsam heraus.

Jana ist angesichts meines plötzlichen Interesses obenauf. »Vom Vogel – ich hab ihn eben vorm Lehrerzimmer gesehen, als er mit der Schubert geredet hat«, sagt sie.

»Und? Ich meine, hast du was gesagt wegen Pavel und so?«, kann ich nicht umhin zu fragen. Mir ist unbehaglich zumute, weil Pavel so hart bestraft werden soll, wo doch Laser … Ein stechender Schmerz zwischen Brustkorb und Magen erinnert mich daran, besser nicht über Laser nachzudenken. Denn dann habe ich unweigerlich dessen Abgang im Eiscafé vor Augen. Zu meiner großen Erleichterung habe ich ihn heute Morgen weder auf dem Schulhof noch im Flur zu Gesicht gekriegt. Ich hätte nicht gewusst, wohin ich mich verkriechen soll.

Zum Glück hindert mich Jana mit ihrem Geplapper an weiteren Grübelattacken. »Wieso? Was hätte ich schon sagen sollen? Die Sache war doch klar, oder? Pavel hat angefangen, sich mit Laser zu schlagen. Alle haben's doch gesehen!«

»Und du? Hast du es auch gesehen?«, frage ich und merke selbst, wie angriffslustig meine Stimme klingt. Und ehrlich: Am liebsten würde ich der blonden Miss Duschhaube mit dem kreidestaubigen Tafelschwamm einmal übers Gesicht fahren, um ihren sensationslüsternen Ausdruck wegzuwischen.

Jana, die natürlich nichts von meinen finsteren Gedanken ahnt, kichert. »Iiich? Also ich war mit anderen Sachen beschäftigt«, plappert sie affig, während sie ihre Fingernägel mustert.

French-Maniküre, stelle ich zerstreut fest. Ich konnte diese weißen Ränder unter den eckig gefeilten Fingernägeln noch nie leiden. Passt aber zu ihr und ihren erfolglosen Versuchen, sich mit den Methoden der Promis aus der InStyle als heiße Nummer zu verkaufen.

»Ich und Rob sind jetzt zusammen, falls du's noch nicht weißt«, wirft sie mir zu und guckt dabei wie eine Boa constrictor, die gerade ein fettes Kaninchen verschluckt hat. Ein Kaninchen namens Rob. Nennt man die nicht auch Rammler? Ich kann mir ein Grinsen nun doch nicht verkneifen.

Jana deutet das falsch und lächelt stolz. »Dass ich da nicht gesehen hab, was abging, ist ja wohl klar, oder?«, raunt sie mir dann noch verschwörerisch zu.

Nun vergeht mir das Grinsen. Meine Gedanken kehren zurück zu dem Abend, an dem Laser am Boden lag, Vogel die anwesenden Schüler fragte, was passiert war, und alle sich auf Lasers Seite stellten – mich eingeschlossen. Jana plappert munter über Rob weiter, doch ich höre gar nicht mehr zu. Meine Gedanken drehen sich um das Video auf meinem Handy und die Frage, was ich mit ihm machen soll. Löschen? So tun, als ob die ganze Sache nie passiert wäre? Aber was wird dann aus Pavel? Nicht, dass ich mir vorher groß Gedanken um ihn gemacht hätte. Ich kann nicht mal sagen, ob ich ihn leiden kann oder nicht. Pavel ist einfach da. Eigentlich ist er in der Schule bisher immer nur dadurch aufgefallen, dass er das R sehr stark rollt und manche Wörter komisch betont. Aber dass er jetzt drauf und dran ist, einen Schulverweis zu kassieren ... Ich habe einfach ein mieses Gefühl bei der Sache. Trotzdem will ich nicht darüber nachdenken, wie die Prügelei losging, und rede mir lieber ein, dass doch eigentlich nichts passiert ist – weder Pavel noch Laser haben schwere Blessuren davongetragen und die Sache ist ja auch nach ein paar Sekunden vorbei gewesen. »Aber trotzdem«, flüstert eine kleine Stimme in meinem Kopf, »gerecht ist es nicht, dass nur Pavel die Strafe kriegt, oder?« Und wegen dieser Flüsterstimme laufe ich los.

*

Erst als ich vor dem Lehrerzimmer stehe, wird mir klar, dass ich Jana einfach wortlos habe stehen lassen. Nicht gerade sehr nett, aber das ist jetzt egal. Meine Hand umklammert das Handy. Das Beste wäre vielleicht, mit der Schubert zu reden. Die hat von allen Lehrern am ehesten den Durchblick. Außerdem war sie an dem fraglichen Abend da. In diesem Moment habe ich erneut vor Augen, wie sich die Schubert zu Laser gekniet und ihre Hand auf seine Schulter gelegt hat. Eifersucht wallt in mir auf. Ob die Schubert der Altersunterschied stört? Und Laser? Findet er ältere Frauen vielleicht sogar scharf? Obwohl die Schubert sicher schon über dreißig ist, sieht sie ziemlich geil aus. Durchtrainierte Figur, lässige Klamotten, meist Jeans und jetzt im Frühjahr eine Jacke aus weichem cognacbraunen Leder, die garantiert nicht billig war. Die Schubert weiß genau, was ihr gut steht, und die nötige Kohle hat sie auch, denke ich angepikt.

Ich könnte auch direkt zu Vogel gehen, aber bei dem Gedanken, Vogel alles zu erzählen, ihm am Ende sogar das Handy mit dem Film aushändigen zu müssen, stoppe ich meine Schritte, als hätte jemand die Notbremse gezogen. Spinne ich eigentlich? Was mache ich hier? Hatte ich allen Ernstes vor, zu den Lehrern zu rennen und zu petzen? Ist das meine Rache an Laser für seinen abrupten Abgang im Café? Gott, wie peinlich bin ich eigentlich? Der Gedanke, Laser nie wiederzusehen, ja daran schuld zu sein, dass sein Leben verpfuscht ist, jagt mir die Hitze ins Gesicht, als hätte ich einen Sonnenbrand. Hastig mache ich kehrt.

»Und was ist mit Pavels verpfuschtem Leben?«, flüstert es wieder in mir. Heftig schüttle ich den Kopf, um dieses lästige Stimmchen loszuwerden. Eins ist klar: Bevor ich zu den Lehrern renne, muss ich mit Laser reden. Genau, denke ich gleich darauf spöttisch, funktioniert bestimmt super, so wie er mich im Café hat sitzen lassen. Ich bleibe stehen – zwischen Baum und Borke. Wann ist Schweigen besser als die Wahrheit?

Da legt sich eine Hand auf meine Schulter und ich springe erschrocken fast einen halben Meter hoch. Wie Nachbars Katze, wenn sie den Bullterrier von gegenüber sieht.

Aber es ist nur die Schubert. »Marie, alles klar?«, fragt sie freundlich und schaut von ihren Acht-Zentimeter-Absätzen fragend auf meinen roten Schopf, der sich – zumindest gefühlt – vor Schreck doppelt so hoch aufgestellt hat.

»Äh ja, alles super«, versichere ich hastig. Und füge, als die Schubert mich weiterhin prüfend mustert, als erstbeste Ausrede hinzu: »Ich glaub, ich hab mein Englischheft mit den Hausaufgaben vergessen.«

Die Schubert nimmt's locker. Nett plaudernd geht sie mit mir den Flur entlang zum Klassenzimmer. Auf dem Weg begegnen wir Tobi, der die Lehrerin scheißfreundlich grüßt, dabei aber mich anstarrt. Ich beschließe, ihn zu behandeln wie einen Furz. Der ist unangenehm, aber unsichtbar, deswegen ignoriert man ihn am besten. Tobi ist nicht das Problem, mein Problem ist Laser.

Und während die Schubert zu Beginn der Englischstunde von Tisch zu Tisch geht und jedem ein Blatt Papier mit einem Auszug der *I have a dream*-Rede von Martin Luther King austeilt, den wir schriftlich analysieren sollen, grüble ich, ob sich Laser seine Aussage wohl noch mal durch den Kopf gehen lässt. Vielleicht wenn er weiß, dass Pavel der Schulverweis droht?

Doch als der Pausengong ertönt und ich hektisch den Schulhof mit den Augen abgrase, kann ich Laser nirgends entdecken. Möglichst unauffällig frage ich rum, doch es hat ihn keiner gesehen. Er ist heute Morgen nicht zum Unterricht erschienen.

*

Erst zwei Tage später, am letzten Schultag vor den Ferien, taucht Laser wieder auf. Er schlendert durchs Schultor, als ich in der Pausenhalle gerade nach meinem Mathebuch für die erste Stunde wühle. Vor lauter Überraschung – und weil ich Laser auf keinen Fall begegnen will – gehe ich reflexartig hinter einem der Pfeiler in Deckung, der das verglaste Dach des Schulfoyers stützt. Dort hocke ich mit klopfendem Herzen wie ein Karnickel im Salatfeld – die Angst im Nacken, im nächsten Moment entdeckt zu werden. Auf keinen Fall will ich Laser gegenübertreten. Zwar habe ich natürlich mit keinem der Lehrer geredet, aber Lasers Anblick lässt mich deutlich spüren, wie stark sein abweisendes Verhalten im Café noch nachwirkt. So, als würde gerade ein Pflaster, das ich sorgsam über einen Schnitt geklebt hätte, mit einem Ruck abgerissen.

Als ich nach ein paar Minuten vorsichtig aus meinem Versteck luge, sehe ich Laser und Tobi die Köpfe zusammenstecken, während sie sich der Eingangstür nähern. Mit angehaltenem Atem drücke ich mich an den Pfeiler und beginne, lautlos bis hundert zu zählen. Danach müsste Laser eigentlich die Treppe hoch in seinem Klassenzimmer verschwunden sein. Bei neunzig ertönt der Schulgong. Sicherheitshalber erhöhe ich auf hundertzehn, dann hole ich tief Luft und flitze mit gesenktem Kopf hinter dem schützenden

Pfeiler hervor, um direkt in meine Klasse zu stürmen. Die Strecke beträgt höchstens zwanzig Schritte und ich könnte es noch rechtzeitig zur ersten Stunde schaffen, doch leider pralle ich frontal gegen ein Hindernis. Das ist blond und hat blaue Augen – Laser.

Nicht mal ein »Hi« will mir über die Lippen kommen. Regungslos, als wäre ich ausgestopft, stehe ich da. Einerseits vor Entsetzen, weil ich jetzt Laser, dem ich nicht begegnen wollte, buchstäblich getroffen habe. Andererseits führt genau diese Tatsache dazu, dass bei mir Schnappatmung einsetzt, denn so nah war ich ihm bis jetzt nur in meinen Träumen. Während mir der Kopf dröhnt, als wäre ich *gegen* den Betonpfeiler statt hinter ihm hervor gelaufen, scheint Laser die Kollision eher zu amüsieren. Jedenfalls macht er keine Anstalten, mich wegzuschieben – im Gegenteil. Sein linker Arm ist um meine Taille geschlungen und er hält mich fest an sich gedrückt, wie ich benommen bemerke. Mein Körper fühlt sich an wie ein Heliumballon. Lässt Laser mich los, hebe ich bestimmt ab.

»Hey, Marie. Alles fit?«, fragt er und hält mich weiterhin fest.

»Äh«, stammle ich, während mir in Nanosekundenschnelle alle mögliche Erwiderungen durch den Kopf schießen: »Danke, ich bin okay«? – Langweilig, außerdem lässt Laser mich dann vielleicht los. »Mir ist schwindelig wegen dir« – Das wäre zwar die Wahrheit, scheidet aber selbstredend aus. Ein Quäntchen Stolz besitze ich schließlich noch.

Mein Blick fällt auf seine Sonnenbrille, die er sonst immer in den Haaren trägt. Jetzt liegt das Designerstück am Boden. Muss bei unserem Zusammenstoß runtergefallen sein. Sein Blick folgt meinem. Shit, denke ich, jetzt ist er sicher sauer. Doch statt sich nach seiner Brille zu bücken, zieht Laser mich noch einen Millimeter näher an sich. Unwillkürlich halte ich die Luft an. Das Gefühl, das Lasers Umarmung in mir auslöst, gleicht der Fahrt in einer Achterbahn, die gerade mit achtzig Sachen senkrecht nach unten rast.

»Was ist schon eine kaputte Brille«, sagt Laser.

Ich komme mir unsagbar dämlich vor, wie ein nasser Turnbeutel in seinen Armen zu hängen, statt wie eine verführerische Sirene die Situation mit Coolness und Schlagfertigkeit zu meistern. Fast ohne meinen Willen öffnet sich mein Mund. »Genau, man sieht nur mit dem Herzen gut«, höre ich meine Stimme und würde im selben Moment die Uhr gern um dreißig Sekunden zurückdrehen. Mein Spruch ist völlig daneben. Jetzt denkt Laser bestimmt, ich will ihn wegen der Sonnenbrille auch noch verarschen.

Doch da spüre ich eine Vibration an meinem Bauch. Laser lacht! Unfassbar. »Da hat wohl jemand *Der Kleine Prinz* gelesen«, grinst er und schaut mir in die Augen. Sein Gesicht ist nur Zentimeter von meinem entfernt.

Ich kann nur paralysiert nicken. »Englisch«, nuschle ich.

Er zieht minimal die Brauen zusammen und ich reiße mich am Riemen – nicht leicht, wenn man bedenkt, dass ich immer noch an sein Sixpack geschmiegt bin.

»Also, meine Großeltern haben mir das Buch auf Englisch geschenkt. Sie leben nämlich in den USA.« Puh, denke ich, ein zusammenhängender Satz. Und sogar grammatikalisch korrekt.

»Ach, du hast auch Familie in den Staaten?«, sagt er und erst jetzt fällt mir die Gemeinsamkeit auf: Lasers Vater ist in Amerika, bei mir sind Oma und Opa in Amerika – wir sind ein perfektes Paar! »Besuchst du sie oft?«, fragt er.

»Ich, öh … eigentlich … manchmal«, stottere ich.

»Eigentlich manchmal?«, neckt er mich. Offensichtlich genießt er es, mich aus der Fassung zu bringen.

Plötzlich höre ich eine Tür klappen, dann Schritte. Erschrocken zucke ich zusammen. Da zieht mich Laser blitzschnell hinter den Pfeiler, hinter dem ich mich bis eben noch versteckt habe. Scheint mein Stammplatz zu werden, denke ich flüchtig und merke, wie sich ein leicht hysterisches Kichern seinen Weg durch meine Kehle zu bahnen versucht. So als hätte ich eine Sektflasche geschüttelt und jetzt würde der Korken nach oben drängen. Gleich ist es zu spät und mein Gekicher sprudelt heraus wie die schäumende Blubberbrause aus dem Flaschenhals ...

Dann läuft Jana vorbei. Zum Glück ohne uns zu sehen, doch mir vergeht schlagartig das Lachen. Das hätte gerade noch gefehlt, dass diese Tratschkuh uns beide in enger Umarmung erwischt. Laser scheint dasselbe zu denken, denn als Jana in der Mädchentoilette verschwunden ist, grinst er mich verschwörerisch an.

»Gerade noch mal davongekommen, sonst stünden wir morgen wahrscheinlich in der *Bild*«, flüstert er.

Ich muss nun doch kichern und unbedacht flutscht mir heraus: »Jana entgeht echt nichts. Das mit dem Schulverweis von Pavel hat sie auch als Erste gewusst ...«

Lasers Gesicht versteinert. Mist, falscher Ansatz, denke ich. Ganz, ganz falscher Ansatz! Jetzt hat er genau denselben Ausdruck im Gesicht wie im Café. Ich könnte mich ohrfeigen, weil ich so trampelig war, das Thema Pavel anzuschneiden.

»Hör mal, ich ...«, beginne ich in der Hoffnung, dass ich diesen Patzer irgendwie wiedergutmachen kann.

Doch in dem Moment legt er seinen Finger auf meine Lippen. Ich verstumme. Zärtlich streicht sein Zeigefinger über meine Wange, fährt die Konturen meines Jochbeins nach. Dann umfasst seine Hand mein Kinn und er beugt sich zu mir. Seine Lippen treffen auf meine und ich höre endgültig mit dem Denken auf. Meine Arme schlingen sich ganz von allein um seinen Hals und so stehen wir hinter dem grauen Betonpfeiler und küssen uns eine gefühlte Ewigkeit.

Ich fühle mich wie im Traum. Deswegen lasse ich mich von Laser mitziehen, ohne Fragen zu stellen. Erst als er die Tür zum Geräteraum der Turnhalle öffnet, mich hindurchschiebt und sich dann in dem dämmrigen Raum, in dem es nach altem Gummi und verschwitztem Leder riecht, eng an mich drückt, kriege ich Angst, jemand könnte uns erwischen.

Aber es ist nur ein flüchtiger Gedanke, denn mir ist immer noch schwindlig und in meinem ganzen Körper breitet sich eine glühende Hitze aus. Wir stehen so eng aneinandergepresst, dass ich nicht mehr weiß, wo sein Körper anfängt und meiner aufhört. Und dann küsst er mich wieder und ich streiche mit zittrigen Fingern über seinen Rücken, hoch zum Nacken. Ich muss ihn fühlen, muss seinen sehnigen Rücken und den kleinen, knubbeligen Wirbel, der den Übergang zu seinem Hals markiert, streicheln, um zu glauben, dass das hier alles real ist und ich nicht nur halluziniere.

Laser vergräbt den Kopf an meinem Hals und ich kann sein Rasierwasser riechen und die weiche Haut zwischen Hals und Kinn schmecken. In diesem Augenblick weiß ich genau, dass ich seinen Duft nie wieder vergessen werde. Überall und jedes Mal, wenn er mir in die Nase steigt, wird mich das gleiche schwummrige Gefühl ergreifen, das ich jetzt spüre: dieses Summen im Magen und das Kribbeln, als würde mein Herz in Prosecco schwimmen.

Die drei Schritte, die wir eng umschlungen zu einem Stapel Turnmatten in der Ecke taumeln, registriere ich kaum. Doch als ich auf den Matten lande, weil Laser mich im Fallen einfach mit sich gezogen hat, wird mir klar, dass das hier mehr als nur eine harmlose Knutscherei werden könnte. Aber dann lächelt er und streicht mir eine Locke aus dem Gesicht und ich beschließe, das Denken auf später zu verschieben. Denn eigentlich will ich gar nicht aufhören – weder mit dem Küssen noch mit dem Streicheln.

Lasers Haut ist ganz weich, nur an den Armen hat er blonden Flaum. Denselben wie auf der Brust, denn jetzt zieht er sich das T-Shirt über den Kopf. Er sieht noch besser aus als in meiner Fantasie. Ich fühle mein Herz gegen meine Rippen donnern. Vorsichtig streiche ich über seinen nackten Rücken. Wahnsinn, kann ich nur benebelt denken. Der tollste Junge der Schule liegt hier neben mir. Mit mir. Das ist mehr, als ich mir je erträumt habe. Trotzdem lauern da auch Angst und Verlegenheit. Daher halte ich unwillkürlich Lasers Hände fest, als er meinen Pulli nach oben schiebt.

»Hör mal, ich …«, fange ich an, aber Laser unterbricht mich, indem er mir mit den Lippen zuerst über die Stirn streicht, dann über die Wange und mich schließlich federleicht auf den Mund küsst.

»Was ist denn? Hab ich was falsch gemacht?«, fragt er und rückt etwas ab. Er sieht traurig oder zumindest unsicher aus – das bilde ich mir zumindest ein. Schlagartig fühle ich mich schlecht. Natürlich gefällt es mir, mit ihm hier zu liegen, und natürlich hat er nichts falsch gemacht. Im Gegenteil. Ist es nicht genau das, worum sich meine Fantasien seit Monaten drehen, was ich mir immer gewünscht habe, wenn ich Laser zufällig auf dem Schulhof oder im Flur begegnet bin? Dass er mich einfach mit sich zieht, mich küsst und mich … begehrt?

Nika würde sich garantiert an die Stirn hauen, wenn ich ihr erzähle, dass ich Laser vergrault habe. »Mann, Motte, du bist total verliebt in ihn. Und er offenbar auch in dich! Auf was willst du noch warten? Dass er auf einem weißen Pferd mitten in dein Zimmer galoppiert kommt?«, höre ich sie sagen. Und sie hat ja recht.

Also nehme ich mir vor, es jetzt auf keinen Fall zu versauen. Entschlossen ziehe ich Lasers Kopf zu mir herunter und küsse ihn.

»Du bist wirklich total süß, Marie«, flüstert er und lächelt sein umwerfendes Laser-Lächeln. Ich kann nicht anders, ich lächele zurück – nein, *strahle* ihn an. Gerade bin ich so selig, dass ich in tausend diamantfunkelnde Scherben zerspringen könnte, wie das Kristallglas meiner Uroma.

Er stemmt sich auf seine Arme und sieht mich an. Es kommt mir vor, als würden meine grünen und seine blauen Augen sich treffen und ineinanderfließen. Und dann zählt nur noch, dass Laser bei mir ist und ich bei Laser bin, Herz an Herz. Ich hab ihn, er gehört mir, kann ich nur fiebrig denken, als er seine Hände nun doch unter mein Shirt schiebt.

Den Gedanken, dass mir das alles eigentlich zu schnell geht und ich ein bisschen Schiss habe, dränge ich mit aller Macht zurück. Stattdessen konzentriere ich mich auf seine Küsse, die immer drängender werden. Das Geräusch, als er erst meine, dann seine Jeans öffnet. Ich schmiege mich an ihn und schlinge mein Bein um ihn, woraufhin er heftig die Luft einzieht. Und dann fühle ich nur noch Lasers hitzigen, schnellen Atem an meinem Hals und vergesse meine Angst, vergesse meine Zweifel. Meine Hände krallen sich in seinen Rücken, als ich wie eine Ertrinkende die Arme um ihn schlinge und ihn mit einem Ruck zu mir heranziehe.

*

Fast laufe ich gegen eine geschlossene Klassenzimmertür. Um mich zu konzentrieren und nicht aus dem offenen Flurfenster zu fallen, führe ich stumme Selbstgespräche mit meiner inneren Stimme. Zu meinem Leidwesen klingt sie sehr skeptisch.

»Du hast es also gemacht. Mit Laser, das nur mal fürs Protokoll. Hast du schon vergessen, dass er sich vor ein paar Tagen im Café wie ein kalter Fisch benommen hat, ehe er einfach abgehauen ist?«

»Ach was, abgehakt.«

»Und der Klassenabend? Und die Prügelei?«

»Spielen keine Rolle.«

»Ach so, klar. Aber was ist mit Pavel? Denkst du mal an Pavel?«

»Was soll denn die blöde Frage jetzt? Er hat Laser provoziert!«

»Aha, und was ist mit diesem kleinen Film auf deinem Handy?«

»Komm, ist doch egal jetzt. Außer mir wird das sowieso niemand zu sehen kriegen. Am besten ich lösche den ganzen Scheiß!«

»Und was, wenn Laser genau das wollte und dich nur deswegen abgeschleppt hat?«

»Quatsch! Außerdem hat er mich nicht *abgeschleppt*. Ich wollte es genauso wie *er*. Und – nur fürs Protokoll – es war sehr schön!

»Aber ...«

»Nix aber! Laser hat Gefühle für mich – und nur das zählt, klar? Carpe diem – und jetzt will ich nichts mehr hören!«

Völlig in Gedanken scheine ich die Klassentür geöffnet zu haben, denn plötzlich stehe ich mitten im Raum und höre das Gekicher meiner Mitschüler. Das katapultiert mich schlagartig von meiner rosagoldenen Laser-Wolke und ich lande unsanft in der Realität. Prompt baut sich nun auch noch ein aufgebrachter Mathelehrer vor mir auf.

»Darf man erfahren, wo Sie jetzt herkommen? Die Stunde hat vor 28 Minuten begonnen?«, fragt Vogel und fuchtelt mit einem Stück Kreide, das er in seiner schwitzigen Hand hält, vor meinem Gesicht herum.

Normalerweise würde das ausreichen, um meine Laune für den Vormittag in Richtung Keller rutschen zu lassen. Doch nach dem, was ich gerade mit Laser erlebt habe, kann mich nicht einmal mehr ein zorniger Mathelehrer aus der Fassung bringen. Ich fühle mich, als wäre ich gar nicht anwesend. Na gut, meine Beine tragen mich, aber ansonsten stehe ich völlig neben mir. Dass Vogel ziemlich unfreundlich klingt, prallt an mir ab wie ein dicker, träger Medizinball an einer Ziegelmauer. Immer noch völlig eingenommen von dem, was gerade im Geräteraum passiert ist, stakse ich wortlos zu meinem Platz. Ich habe das Gefühl, total ferngesteuert zu sein. Auf Wolken gehen – endlich verstehe ich, was damit gemeint ist. Ich glaube, ich liege immer noch in Lasers Armen, dabei habe ich mich in Wirklichkeit hingesetzt.

»Wir kriegen beide Ärger, wenn wir jetzt nicht zum Unterricht gehen«, hat Laser geraunt, als wir beide »danach« atemlos und mit roten Gesichtern nebeneinandergelegen haben.

Ich habe nur nicken können, obwohl mir in diesem Moment jeglicher Ärger völlig egal war.

Dann hat er sich sanft aus unserer Umarmung gelöst. Eine letzte hauchzarte Berührung seiner Lippen und er ist aus der Tür und nach draußen verschwunden. Und ich habe mich aufgerappelt und bin wie R2D2, der Roboter aus *Star Wars*, ins Klassenzimmer und dort zu meinem Platz marschiert.

Dass Vogel mich mit offenem Mund anstarrt und meine Mitschüler wieder kichern – diesmal allerdings über den entgeisterten Lehrer –, kriege ich kaum mit.

*

Irgendwann muss es geklingelt haben, irgendwie muss ich danach auf dem Schulhof gelandet sein und irgendwie bin ich wohl auch nach Hause gekommen. Jetzt hocke ich auf dem Bett, die Ellenbogen auf die Knie gestützt, und starre mein Handy an. Ob er mich anruft oder wenigstens eine SMS schickt? »Es« war doch für ihn auch schön, das hat er mir doch kurz, nachdem es passiert war, ins Ohr geflüstert. Und davor hatte er zu mir gesagt: »Du bist echt total süß.« Nicht direkt eine Liebeserklärung, aber so was Schmalziges würde auch gar nicht zu ihm passen. Ob er auch gerade an mich denkt? Vielleicht ist ja sein Akku leer. Oder er kann nicht ungestört telefonieren, weil seine Mutter ständig in sein Zimmer kommt. Oder weil die Putzfrau in der Riesenvilla gerade staubsaugt. Am liebsten würde ich ihn anrufen, aber ich habe Angst, Laser könnte denken, ich klammere. Der Liebeskiller Nummer eins, vor dem die schlauen Mädchen-Zeitschriften immer warnen!

Nervös knabbere ich an meinen Fingern herum, etwas, das meine Mutter hasst. »Das ist eine schreckliche Angewohnheit, Motte!« Ob Laser das auch findet? Hat er vielleicht meine Hände bemerkt und ruft deswegen nicht an? Ich beiße auf meine Daumenkuppe, bis es wehtut. Vielleicht stoppt der Schmerz ja das Gedankenkarussell.

Mutlos betrachte ich anschließend den Zahnabdruck. Fehlanzeige, nun schmerzen Daumen und Herz. Ob Laser meine Zähne eigentlich schön findet? Findet er mich überhaupt hübsch? Vielleicht hat es ihm ja auch gar nichts bedeutet, vielleicht legt er jeden Tag mehrere Mädchen flach und ich war für ihn reine Routine? Schönen Tag noch. Die Nächste, bitte!

Gedankenverloren zupfe ich an einem losen Hautstückchen, das von meinem Finger hängt. Ich würde am liebsten jetzt sofort zu Laser fahren. Ich möchte mit ihm reden, ihn beobachten, wie er seinen Kaffee trinkt, wissen, was er denkt, welche Musik er mag, ich möchte ... ihn einfach wiedersehen. Vielleicht kann ich ja mal ganz unverbindlich wegen Kino anrufen. Und in drei Tagen findet ein Konzert im Stadtpark statt, da könnten wir vielleicht zusammen hingehen. Schließlich sind ab heute Ferien. Wir hätten jetzt also eine Woche Zeit, um ...

In dem Moment piept mein Handy. Als hätte ich einen Strom-schlag bekommen, erschrecke ich und fahre so hastig hoch, dass ich einen Augenblick lang mit dem Po ein paar Zentimeter über der Matratze zu schweben scheine. Laser! Das war Gedanken-übertragung, schießt es mir durch den Kopf. Mein Herz klopft so stark, dass mein zitternder Finger Mühe hat, die Taste »Neue Nachricht lesen« zu drücken.

»süße, alles frisch? heute abend kino? call me! nika«

Nika ist meine beste Freundin, aber gerade könnte ich sie erwürgen. Muss sie mich ausgerechnet jetzt mit einer SMS derart aufs Glatteis führen? Obwohl ich weiß, dass Nika nichts dafür kann und ich total ungerecht bin, kocht Wut in mir hoch – wie Nudelwasser aus dem Topf auf einer heißen Herdplatte sprudelt sie aus mir heraus. Weil es die falsche SMS vom falschen Absender ist. Weil ich mir Hoffnungen gemacht habe. Weil die Enttäuschung jetzt doppelt so wehtut. Und weil in meinem Kopf penetrant und lästig wie eine Fliege die Frage kreist, ob ich das Richtige gemacht habe – mein erstes Mal auf einem Stapel Turnmatten. Und ob es wirklich so schön war, wie ich es mich selbst glauben machen will. Eigentlich hätte ich mir mehr Zeit gewünscht. Und einen stimmungsvolleren Ort. Und danach wenigstens einen Anruf von Laser ...

Um die innere Stimme daran zu hindern, weitere unangenehme Wahrheiten zu sagen, schüttle ich heftig den Kopf, als würde ich

sie wie die Fliege damit vertreiben können. Dann drücke ich auf
»Nachricht löschen«. Beknacktes Timing, Nika, echt!

*

Der Rest des Tages ist für mich wie Linseneintopf – das Gericht,
das ich am wenigsten leiden kann. Zwei Löffel davon zu essen
kommt mir immer vor wie Stunden, die sich elendig in die Länge
ziehen. Alle zehn Minuten schiele ich, ohne es zu wollen, auf mein
Handy – aber es bleibt stumm. Nika ist wohl auch eingeschnappt.
Aber zum ersten Mal ist es mir egal. Was zählt, ist Laser. Doch der
ist auf Tauchstation gegangen. Dabei habe ich wirklich versucht,
mir einzureden, dass es an meinem Handy liegt. Aber Nikas SMS
ist ja auch angekommen und als ich vom Festnetz meine eigene
Handynummer angewählt habe, hat es pflichtschuldig geklingelt.
Mist.

Zum Abendbrot mag ich nichts essen. Weil der Ton zwischen
mir und Ma seit Ice H.s Geburtstag immer noch unterkühlt ist,
muss ich mir wenigstens keine Ausrede einfallen lassen. Ich bleibe
einfach in meinem Zimmer. Wahrscheinlich sind Ma und Jo froh,
dass sie mal ihre Ruhe haben. Jo lässt sowieso immer raushängen,
dass er lieber mit meiner Mutter allein wäre. Und mein leiblicher
Vater hat sich auch schon ewig nicht mehr bei mir gemeldet.

Plötzlich fühle ich mich einsam und von allen verlassen. Als sei
ich ein Hund, den man einfach aus dem Auto geworfen oder am
Straßenrand angebunden und dann vergessen hat. Statt Abend-
essen gibt es eine Portion Liebeskummer in einer Marinade aus
Selbstmitleid. Das ist vielleicht etwas dick aufgetragen, aber ich
habe keine Lust, mich zusammenzureißen. Wozu auch? Die Sache mit Laser war wunderschön, aber so schnell vorbei, wie eine
Sternschnuppe aufleuchtet und wieder erlischt. Mein sehnlichster
Wunsch, aus uns würde ein Paar werden oder er möge sich heimlich in mich verlieben, wie ich mich in ihn, ist eindeutig nicht in

Erfüllung gegangen. Bei dem Gedanken fühle ich mich wie eine gebrauchte Plastiktüte: hässlich und zerknittert.

Nachdem ich ungefähr eine Dreiviertelstunde unter der Dusche verbracht habe, kringle ich mich im Bett zusammen und ziehe die Decke bis zum Kinn. Am liebsten würde ich für immer so liegen bleiben in meinem Daunenkokon und nichts mehr fühlen. Ab morgen sind Ferien und ich werde mich jeden Morgen beim Aufwachen als Erstes daran erinnern, Laser zu vergessen.

Plötzlich vibriert etwas an meinen Zehen. Irritiert richte ich mich auf und schlage die Decke zurück. Am Fußende liegt achtlos hingeworfen mein Handy, das Display leuchtet blau. Es ist sieben Uhr abends und das Symbol eines Briefumschlags blinkt in der oberen Ecke. Mist, Nika. Bestimmt ist sie stocksauer. Seufzend drücke ich auf die Taste, um mich von ihr per SMS rundmachen zu lassen.

»hi marie, greets vom airport – fliege in die USA zu meinem dad. schade – wenn du bei deinen grands wärst, könnten wir morgen zusammen frühstücken :-) schöne ferien! lukas«

Mit offenem Mund starre ich die Buchstaben an. Er fliegt weg? Die ganze Ferienwoche? Shit, warum hat er mir heute Morgen nichts davon gesagt? Ist es am Ende ein Notfall? Oder war ich nur das Aufwärmtraining für ihn, ehe er die ganzen Girls in den USA ins Visier nimmt? Ich muss an einem Kloß in meinem Hals vorbeischlucken.

Doch dann bleibt mein Blick an dem Satz hängen: »wenn du bei deinen grands wärst, könnten wir morgen zusammen frühstücken«. Also würde er mich doch gern wiedersehen …! Träumerisch starre ich aufs Handy. Das leuchtende Blau des Displays verwandelt sich in das Blau seiner Augen. Ich sehe mich Hand in Hand mit ihm durch New York laufen, wir kreuzen die Fifth Avenue, rechts und links ragen die Wolkenkratzer in die Luft … Aber Moment mal! Lasers Vater ist ja gar nicht in NY, sondern in Hollywood. Und meine Großeltern leben am Rand von Santa Monica! Zwischen

L.A. und Santa Monica liegen wie viele Meilen? Ich springe wie ein Gummiball aus dem Bett und schalte mit fliegenden Fingern meinen Laptop ein. Als das Ding endlich hochgefahren ist, tippe ich schnell »Entfernung Hollywood – Santa Monica« in die Suchmaschine ein. Nach zwei Sekunden spuckt sie etwas aus und da lese ich schwarz auf weiß:

»the approximate distance is:

Total Est. Time: 18 minutes

Total Est. Distance: 16,4 miles«

Wahnsinn, in nicht mal einer halben Stunde könnte ich vom Haus meiner Großeltern bei ihm sein! Vorausgesetzt ich wäre in den Staaten. Das bringt mich unsanft wieder auf den Boden der Tatsachen, die da wären: Ich habe Ferien, aber kein Geld. Der billigste Flug nach L.A. kostet – als die Internetanfrage die Zahl ausspuckt, reiße ich erschrocken die Augen auf – 580 Euro. Ich habe höchstens fünfzig davon. Mich im Frachtraum des nächsten US-Fliegers zu verstecken, ist keine gute Idee und ebenso wenig, meine Mutter um Geld zu bitten – wie ich nun feststelle.

»Also weißt du, Motte! Ich hab's nun wirklich nicht so dicke, dass ich dir mal eben 600 Euro für einen Spontanflug zu deinen Großeltern in die Hand drücken kann! Wieso willst du überhaupt dahin?«

Weil ich nun schlecht die Wahrheit sagen kann, erfinde ich eine Ausrede, in der irgendwas von »Opa und Oma lang nicht mehr gesehen« vorkommt, wobei ich das Gefühl habe, dass meine Nase noch während des Redens immer länger wird wie bei Pinocchio, wenn er lügt. Klar, dass meine Mutter sofort drauf pocht, dass es ihr lieber wäre, mein Familiensinn würde zuerst meinem Urgroßvater in Deutschland gelten. Außerdem wären bei ihrem Auto gerade ein neuer Auspuff und der TÜV fällig.

Türknallend verlasse ich das Zimmer und hänge mich ans Handy.

*

»Mottemädchen, das ist ja eine Überraschung, wie geht's dir denn?«

Mein Vater klingt ehrlich erfreut, was mir prompt ein schlechtes Gewissen beschert. Schließlich rufe ich ihn nicht aus lauter Sehnsucht an. Oder genau genommen schon, aber nicht aus Sehnsucht nach ihm.

»Kannst du mir 600 Euro pumpen?«, platzt es ohne Vorwarnung aus mir heraus.

Am anderen Ende der Leitung herrscht verblüffte Stille.

»Ich meine, ich will zu Oma und Opa nach Santa Monica, ich hab ja Ferien und sie lang nicht mehr gesehen und …«, hasple ich, bevor mir die Luft ausgeht, und verstumme. Dann höre ich, wie sich mein Vater räuspert. Unbehaglich.

»Würde ich wirklich gern, Mottchen«, sagt er. »Aber 600 Euro? Ich meine, ich überweise deiner Mutter schon jeden Monat nicht gerade wenig für dich und … na ja, ich hab die Wohnung streichen lassen und mir ein neues Sofa gekauft.«

Ich beiße so fest die Zähne zusammen, dass es wehtut. Das darf doch nicht wahr sein: Wegen eines blöden Sofas soll ich die Liebe meines Lebens verpassen? Währenddessen redet er weiter und seine Stimme klingt jetzt, da er sich vom heiklen Thema »Geld« entfernt, enthusiastischer: »Du solltest mich mal besuchen kommen, das Sofa kann man zum Schlafen ausziehen, total bequem und …«

Aber ich höre gar nicht mehr richtig zu. »Und was ist mit Oma und Opa? Ich meine, könnten die mir nicht den Flug …«, beginne ich und klammere mich an die letzte Hoffnung wie ein Schiffbrüchiger an ein Rettungsfloß. Immerhin bin ich ihre einzige Enkelin. Außerdem wohnen die beiden nicht in Santa Barbara, dem teuersten Teil Amerikas.

Mein Vater zögert ein bisschen, seine Stimme hat einen versöhnlichen Ton angenommen: »Wieso ist dir dieser Besuch denn plötzlich so wichtig, Mottekind? Ich meine, ich weiß nicht, ob es den Großeltern gerade so passt. Sie mussten das Dach vom

Haus neu machen und Oma wurde erst ein künstliches Hüftgelenk eingesetzt ...«

»Ich mach bestimmt keinen Stress«, beeile ich mich einzuwerfen. Und den würde ich tatsächlich nicht machen, schließlich habe ich vor, den ganzen Tag mit Laser zusammen zu sein. Wir würden am Strand sitzen, Lagerfeuer machen, den Surfern zusehen und unser zweites Mal wäre dann romantisch unterm Sternenhimmel und viel schöner als ...

»Motte! Hallo, Motte! Bist du noch da?«, schallt die Stimme meines Vaters aus dem Hörer.

Unwillig kehren meine Gedanken vom warmen Strand zurück.

»Ich hab gerade gesagt, dass man in Amerika den Großteil solcher OPs selber zahlen muss. Du weißt ja, dass es dort keine gesetzlichen Krankenkassen gibt und zusammen mit den Kosten fürs neue Hausdach ...« Er räuspert sich und fährt energischer fort: »Von daher würde ich dich bitten, das Thema Geld jetzt nicht bei Oma und Opa anzuschneiden, okay? Ich möchte nicht, dass ...«

Und ich möchte nicht, dass die Ferien vorbeigehen, ohne dass ich Laser gesehen habe, denke ich trotzig. Als wäre es ein fauler Apfel, halte ich das Handy ein Stück von meinem Ohr weg. Mein Vater redet weiter, aber ich höre nicht mehr zu und breche das Telefonat so schnell wie möglich ab.

Frustriert vergrabe ich mich wieder ins Bett. Das gibt's doch nicht, dass niemand mir 600 Euro leihen kann! Offenbar hat keiner aus meiner Familie Geld. Keiner außer ...

*

»Du willst *was*?« Meine Mutter schaut mich an, als hätte ich ihr gerade eröffnet, ich wolle demnächst ins All fliegen.

»Ich will meinen neunzigjährigen Urgroßvater besuchen, den ich ewig nicht gesehen habe, und ihm nachträglich zum Geburtstag gratulieren.« Krampfhaft versuche ich, meiner Unschuldsmiene den passenden, möglichst beiläufigen Ton hinzuzufügen. Meine Mutter mustert mich mit zusammengekniffenen Augen. Ich kenne diesen Blick – leider. Er bedeutet: »Da ist doch was faul.«

»Da ist doch was faul«, sagt sie prompt und ich verdrehe die Augen.

»*Du* warst doch total sauer und hast eine Woche kaum mit mir geredet, weil ich nicht mit zu seinem Geburtstag gekommen bin«, gehe ich nun zum Gegenangriff über. »Und überhaupt hast du mir doch eben noch geraten, statt der Großeltern in den USA lieber meine Urgroßeltern zu besuchen!«

»Und genau deswegen finde ich deinen plötzlichen Sinneswandel ziemlich seltsam«, beharrt sie und mustert mich mit ihrem Röntgenblick. »Überhaupt wirkst du irgendwie … verändert!«

Hilfe!, schießt es mir durch den Kopf. Kann sie mir etwa ansehen, dass ich heute Morgen mein erstes Mal erlebt habe? Gibt es so was wie einen mütterlichen Meine-Tochter-hatte-Sex-Radar? Tatsächlich überlege ich kurz, ihr alles zu erzählen. Ganz kurz nur. Denn sofort wird mir klar, dass meine Mutter wahrscheinlich nicht so reagiert, wie ich es mir wünsche. Ich bin mir sicher, dass sie es nicht so gut fände, dass es ausgerechnet im Geräteraum der Turnhalle … und dann auch noch mit einem Jungen, den ich zuvor gerade das erste Mal geküsst hatte. Auch wenn ich eigentlich schon immer in ihn verknallt war. Meine Mutter mit ihrer rationalen Art würde mir wohl eine Moralpredigt halten. Und als Erstes fragen, ob ich verhütet habe. Wenigstens in dem Punkt kann ich sie beruhigen. Laser hatte ein Kondom mit. »Wieso trägt der Typ eigentlich Gummis in der Hosentasche?«, ertönt die leise Stimme in meinem Kopf.

Zum Glück sagt meine Mutter gerade was und ich würge das Stimmchen energisch ab, weil ich ihr zuhören muss.

»Ich habe sowieso keine Zeit und du weißt, dass du nur mit Beifahrer Auto fahren darfst«, argumentiert sie hartnäckig gegen meine Pläne.

»Es gibt da ein Ding, das nennt man Zug und zufälligerweise gibt es in der Nähe von den Urgroßeltern sogar einen Bahnhof«, presse ich hervor, weil sie langsam anfängt zu nerven.

Doch meine Mutter ignoriert meinen gereizten Ton. »Außerdem weiß ich nicht, ob sich Opa Hermann darüber freut, weil nämlich Oma …«

»Ach, komm schon, Ma, natürlich freut er sich. Das bringt mal Abwechslung in seinen Alltag! Und außerdem kann ich mich dann auch bei ihm für den verpassten Geburtstag entschuldigen«, schneide ich ihr einfach das Wort ab. »So und gleich geht mein Zug!« In Wirklichkeit habe ich endgültig die Nase davon voll, mich hier rechtfertigen zu müssen. Ich will schließlich nicht den Nanga Parbat besteigen, sondern nur sechzig Kilometer zu meinen Urgroßeltern fahren!

»Gut, ich weiß zwar nicht, was das soll, aber du wirst deine Gründe haben«, beendet meine Ma die Diskussion.

Müssen Mütter eigentlich immer das letzte Wort haben? Vielleicht wird ihnen die Berechtigung dazu gleich nach der Geburt des Kindes in den Mutterpass eingetragen?

Um es mir auf den letzten Drücker nicht doch noch mit ihr zu verscherzen, verkneife ich mir jeglichen Kommentar und sehe zu, dass ich zum Bahnhof komme: In vierzig Minuten ist Abfahrt.

Kapitel 4

Bei den Barmherzigen Schwestern

Mit angehaltenem Atem durchquere ich den Flur im Haus meiner Urgroßeltern. Dort riecht es nach Essiggurken. Wie immer. Ich sehe mich selbst als kleines Kind im Flur stehen und meine Nase in mein nach Schlaf und Kinderzimmer riechendes Kuscheltier drücken, um diesem scharfen Essiggeruch zu entgehen. »Na, willst du deiner Oma kein Begrüßungsküsschen geben?«, hieß es immer. Nein, wollte ich nicht. Schon damals hatte ich keinen Bock auf meine Urgroßeltern.

Jetzt stehe ich im stickigen Wohnzimmer. Aber irgendwas ist anders als sonst. Erst als ich mich umsehe, weiß ich was.

»Wo ist denn Oma?«, frage ich Ice H. Obwohl es sich strenggenommen um meine Urgroßmutter handelt, habe ich sie immer »Oma« genannt. Vielleicht weil ich meine beiden »echten« Großmütter nie, beziehungsweise nur dreimal gesehen habe. Im Gegensatz zu meinen Urgroßeltern.

Doch jetzt kann ich meine Uroma nirgends entdecken. All die Jahre saß sie bei meinen Besuchen immer hier oder stand in der ans Wohnzimmer angrenzenden Küche. Als ich klein war, stellte ich mir manchmal vor, dass sich meine Urgroßmutter – wie eine Lokomotive auf Schienen – nur zwischen diesen beiden Räumen hin und her bewegte. Dass der Anblick der alten Frau in ihrer vertrauten Kittelschürze nun fehlt, ist seltsam. Es ist so, als ob ein altes Foto auf einmal von der Wand verschwunden und nur ein heller Fleck an der Tapete zurückgeblieben wäre.

»Sie ist bei den Barmherzigen Schwestern«, sagt Ice H. nach einem Moment des Schweigens.

»Sie ist ... tot?«, platzt es aus mir heraus. Obwohl sie die Älteste von drei Mädchen war, sind die beiden Schwestern schon lange vor ihr gestorben. Ice H. will mir jetzt offenbar klarmachen, dass seine Frau ihren toten Schwestern nachgefolgt ist. Verdammt, hätte meine Mutter mich nicht vorwarnen können?, frage ich mich. Dann fällt mir ein, dass ich sie heute morgen rüde unterbrochen habe, als sie auf Urgroßmutter zu sprechen kam. Das war es also, warum sie Vorbehalte gegen meinen Besuch bei Ice H. hatte.

»Sie ist im *Heim* der Barmherzigen Schwestern«, korrigiert mich mein Urgroßvater nun.

Ich schließe resigniert die Augen. Die Höchstpunktzahl im Wettbewerb um den größten Fettnapf geht eindeutig an mich.

Erstaunlich gleichmütig, wenn man bedenkt, dass ich meine Uroma gerade verbal begraben habe, erzählt Ice H., dass sie in den vergangenen Monaten »Probleme« hatte. Mit ihrem Kopf – oder besser gesagt: mit ihrem Gedächtnis. Zuerst war sie nur manchmal etwas zerstreut. Vergaß beim Kuchenbacken den Zucker oder tat sich zweimal hintereinander Milch in den Kaffee. Eines Tages fand er einen Ordner, in dem sie normalerweise ihre Einkaufsbelege abheftete. Doch darin klebten nicht nur Kassenzettel, sondern auch Käsescheiben. Meine Uroma hatte tatsächlich mehrere Scheiben Bergkäse gelocht und fein säuberlich zwischen die Quittungen geheftet. Als er den Hefter fand, waren einige hart und gelb, auf anderen Scheiben befand sich bereits silberpelziger Schimmel. Auf die Frage ihres Mannes, was das zu bedeuten habe, antwortete meine Urgroßmutter im Brustton der Überzeugung, dass Käse steuerpflichtig sei und daher zu den Belegen gehöre. Sie bekämen sonst Ärger mit dem Finanzamt.

»Liesel ist richtig wütend geworden, als ich die Käsescheiben weggeworfen habe«, sagt Ice H. und ich kann aus seiner Stimme immer noch die Verwunderung über das Verhalten seiner Frau hören.

Zum Schluss hätte sie sich schließlich gar nichts mehr merken können, wie er seufzend berichtet. Oft stieg sie in den Keller hinunter und kam stundenlang nicht mehr wieder. Ging er sie suchen, fand er sie zitternd mit einer leeren Schüssel mitten zwischen den Kartoffeln und den Kohlen für den Ofen – die alte Frau hatte vergessen, was sie hier unten wollte. Kaffee machte sie plötzlich nur noch mit dem Heißwasserkessel und dem uralten Porzellanfilter. Sie weigerte sich, die zwanzig Jahre alte Kaffeemaschine zu benutzen. Ice H. hatte den Verdacht, dass sie schlicht nicht mehr wusste, wie man sie bediente. Wollte er ihr helfen, wurde sie böse. Zum Schluss schlug sie sogar nach ihm, wenn er versuchte, sie aus dem Keller zu führen, oder ihr den alten Kaffeefilter ausreden wollte. Am Tag nach seinem Geburtstag brachte er seine Liesel schließlich schweren Herzens ins Heim.

Ich ahne, dass der alte Mann mit seinen neunzig Jahren, dem kaputten Knie und diversen anderen Altersbeschwerden nicht mehr in der Lage war, den immer weiter abdriftenden Geist seiner Frau aufzuhalten und sie, in deren Kopf nur noch bruchstückhafte Erinnerungen waren, zu versorgen. Es ist für ihn sicher eine Erleichterung, sich nur noch um sich selbst kümmern zu müssen und sie in Pflege zu wissen.

Zu meiner eigenen Überraschung tut mir mein Urgroßvater in diesem Moment einfach nur leid. Ein ungewohntes Gefühl. Zum ersten Mal dämmert mir, dass ihn das Leben wohl ziemlich in der Mangel hatte. Seine erste Frau: im Krieg von einer Panzergranate zerfetzt. Die zweite Frau: bei der Geburt seines vierten Sohnes verstorben. Die dritte Ehe hat immerhin fast sechzig Jahre gehalten. Und jetzt verschwindet mehr als ein halbes Jahrhundert gemeinsamer Erlebnisse einfach aus dem Kopf des Menschen, dem er Liebe und Treue geschworen hat, »bis dass der Tod euch scheidet«. Ich wusste, die Demenz würde schneller sein und die beiden vorher auseinanderreißen.

»Alzheimer«, sage ich, um klarzumachen, dass ich nicht nur Mitgefühl, sondern auch Kenntnis über diese tückische Krankheit habe. Wie ein Rumpf ohne Kopf irrt der Kranke hilflos umher – in einer Welt, die ihm nichts mehr bedeutet. Weil er sie nicht mehr versteht.

»Nein«, sagt Ice H., »das mit dem Gedächtnis ist bestimmt heilbar. Die Schwestern haben gesagt, dass sie sich an Dinge erinnert, wenn man sie ihr zeigt. Fotos zum Beispiel! Und sie kann noch alle Gedichte aus der Schule!«

Ich will schon den Mund zu einer Erwiderung öffnen, doch Ice H. scheint zu ahnen, was ich sagen will, und schneidet mir das Wort ab: »Liesel muss sich im Heim nur ein bisschen erholen und dann kann ich sie wieder mit nach Hause nehmen!«

Erst hole ich Luft, um zu widersprechen – was hat es für einen Sinn, die Augen vor einer Krankheit zu verschließen, die schleichend ist, aber letztendlich doch zum völligen Gedächtnisverlust führt –, als ich mich daran erinnere, dass es noch nie einen Sinn hatte, mit Ice H. zu diskutieren. Sein Dickschädel hat auch mit neunzig Jahren nichts von seiner Härte eingebüßt. Seine Frau ist nicht dement, sondern nur ein bisschen vergesslich? Alles klar!

Wie schlimm es um meine Urgroßmutter tatsächlich steht, davon kann ich mir gleich selbst ein Bild machen. Ice H. besteht nämlich darauf, dass wir mit seinem alten Automatik-Mercedes zum Heim der Barmherzigen Schwestern fahren.

*

Während er kurzsichtig hinter dem Steuer klemmt, hört er sich meine Erklärung, warum ich unbedingt in die USA fliegen und meine frisch operierte Großmutter besuchen muss, kommentarlos an. Als ich bei den Kosten für den Flug anlange, nickt er nur. Ich bin drauf und dran, Hoffnung zu schöpfen, als er den Motor auf dem Parkplatz des Heims abstellt.

»Jetzt besuchen wir erst mal deine Uroma«, sagt er bestimmt und ich folge ihm wortlos, in Gedanken bin ich schon auf dem Weg zum Airport.

Inzwischen habe ich, hinter Ice H., der mit seinem steifen Knie nur langsam vorankommt, die schwere Eingangstür des Pflegeheims passiert. Mit dem Fahrstuhl fahren wir nach oben. Als wir im sogenannten Gemeinschafts- und Aufenthaltsraum stehen, beiße ich die Zähne zusammen und denke ganz fest an Laser und die 600 Euro, sonst müsste ich auf dem Absatz kehrtmachen und über die Treppe die drei Stockwerke hinunterrennen. Ich könnte wetten, ich würde sogar noch den Aufzug überholen, so dringend will ich hier weg.

In Rollstühlen kauern uralte Menschen. Die meisten starren mit leerem Blick vor sich hin, einer alten Frau läuft Speichel in einem dünnen Faden aus dem Mund. Ein Greis mit schief verzogenem Mund singt mit hoher Stimme leise vor sich hin. Jemand anderer stöhnt unablässig in einem tiefen, gutturalen Ton, der mir klamme Schauer über den Rücken jagt. Dabei kann ich nicht mal sagen, ob es sich um einen Mann oder eine Frau handelt, denn den Kopf bedecken nur noch ein paar dünne weiße Strähnen und das Gesicht ist so ausgemergelt, dass ich unwillkürlich an ein Totenkopfäffchen denken muss, so straff spannt sich die dünne Haut über die scharfkantigen Gesichtsknochen. Das, was einmal ein Mensch war, der früher die Schulbank gedrückt hat, vielleicht eine Ausbildung gemacht oder studiert, dann geheiratet und Kinder gekriegt hat – davon ist nichts mehr übrig außer einer Stimme, die wortlos gegen das eigene Elend aufbegehrt. Ich wünschte, ich müsste das nicht sehen. Plötzlich habe ich wahnsinnige Angst davor, irgendwann meine Mutter oder viel später vielleicht mich selbst so dasitzen zu sehen.

Eine Ordensschwester, die aussieht, als wäre sie nur fünf Jahre jünger als Gott, kommt auf uns zu gewuselt. Im munteren Ton, als wäre sie nicht von Halbzombies umgeben, sondern Leiterin eines lukrativen Senioren-Ferienclubs, begrüßt sie Ice H. – und auch ich bekomme einen Händedruck, der erstaunlich kräftig ist.

»Ihre Frau wird sich freuen, dass Sie hier sind, Herr Schmitz. Und Ihre liebe Enkelin mitgebracht haben«, fügt die Schwester unter ihrem schwarzweißen Habit mit einem breiten Lächeln in meine Richtung hinzu.

Ich versuche, zurückzulächeln, aber mein Gesicht gerät zu einer Grimasse. Denn das Stöhnen dieses alten, geschlechtslosen Wesens in meinem Rücken lässt es erstarren, als wäre es aus Wachs.

Die Ordensschwester plappert indes munter weiter: »Wir geben Ihrer Frau inzwischen Tabletten, die den Wirkstoff Memantin enthalten. Er schützt das Gehirn vor Überreizung durch den Botenstoff Glutamat. Dadurch verringern sich Unruhe und Aggression.« Sie strahlt, als habe sie diesen Stoff persönlich erfunden.

Vage erinnere ich mich, mal im Biounterricht von »Botenstoffen« gehört zu haben. Und Glutamat, war das nicht das Zeug, was angeblich massenhaft in chinesischem Essen drin ist? Irgend so ein Geschmacksverstärker, wegen dem sich meine Mutter seit Jahren weigert, mal schnell was beim China-Express zu ordern. Was das Zeug allerdings mit meiner vergesslichen Uroma zu tun hat, ist mir schleierhaft.

Währenddessen redet die Ordensschwester weiter auf Ice H. ein: »Haben Sie wieder Fotos von früher dabei? Gut! Und heute Morgen hat unser Pfarrer erzählt, dass Ihre Frau eine Strophe vom Kirchenlied mitgesungen hat. Ist das nicht großartig?«

Unter weiterem Geplauder geleitet Schwester Gutgelaunt uns zu einer breiten, weißen Zimmertür. An einem Schildchen ist eine Filzblume befestigt, auf der steht: »Lieselotte Schmitz«. Ohne anzuklopfen, öffnet sie die Tür und trompetet fröhlich: »Sooo nun sehen wir mal, wer hier zu Besuch ist, ja, Frau Schmitz!?«

Ich bin an der Tür stehen geblieben, als wäre ich gegen eine Ziegelmauer gelaufen. Reflexartig halte ich die Luft an. Im Zimmer riecht es nach muffigen, unausgelüfteten Kleidern. Und darüber liegt ein noch stärkerer, stechender Geruch: Urin. Mein Blick fällt auf die Tür, an der unübersehbar »WC« steht. Durch den Spalt der halb offenen Tür sehe ich eine Großpackung Windeln. Im ersten Moment frage ich mich tatsächlich, wo hier ein Baby sein könnte. Dann wird mir klar: Die Windeln gehören meiner Urgroßmutter. Diese Erkenntnis trifft mich wie ein Schlag: Meine kräftige, unbeugsame Uroma, die immer alles unter Kontrolle hatte – vor allem mein Benehmen bei unseren seltenen Besuchen –, muss plötzlich wie ein Kleinkind gewickelt werden. Hastig wende ich den Blick ab und richte meine Aufmerksamkeit auf das Bett. Zusammengekrümmt liegt sie darin, von der Tür abgewandt schaukelt sie leise wimmernd hin und her. Wollte ich vorhin noch übers Treppenhaus abhauen, jetzt würde ich am liebsten aus dem Fenster springen. Wie erstarrt stehe ich an der Tür, unfähig, mich zu rühren. Nicht mal Hallo kann ich sagen – nicht zu dem Bündel Elend, das meine Uroma sein soll. Ice H. ist mit zwei Schritten am Bett. Er redet erst leise mit Urgroßmutter, dann zieht er vorsichtig die Bettdecke weg. Rot vor Wut dreht er sich zur Ordensschwester um, der ihr Gute-Laune-Ausdruck schlagartig aus dem Gesicht fällt.

»Was?«, sagt Ice H. drohend – und macht dem von mir erfundenen Spitznamen alle Ehre, so eisig klirrt seine Stimme. »Was haben Sie mit meiner Frau gemacht?«

Die Schwester trippelt nun auch zum Bett. Das Wimmern hat aufgehört, meine Urgoßmutter starrt stumm auf ihren Mann und die Ordensschwester. Mit den großen erstaunten Augen sieht sie aus wie eine Eule, die man gerade aus dem Winterschlaf geholt hat. Ganz im Gegensatz zu ihrem Mann. Den zornesroten Kopf, der auf dem kurzen Hals zwischen massigen Schultern sitzt, kämpferisch vorgestreckt, erinnert er an einen angriffslustigen Bären. Nur weiß ich immer noch nicht, was ihn so aufregt.

»Meine Frau hat ein nasses Nachthemd an und liegt völlig unterkühlt im Bett. Vielleicht erklären Sie mir mal, wie das passieren kann?«, faucht Ice H. die Oberin an, die jetzt sichtlich nervös wird.

»Unsere Bewohner haben ihre Körperfunktionen oft nicht unter Kontrolle«, versucht sie zu erklären.

Doch er schneidet ihr das Wort ab: »Ich weiß, dass um diese Zeit die Pfleger da waren und die Patienten versorgt haben. Ich fordere eine lückenlose Aufklärung«, donnert er und ich bewundere den eisernen Willen dieses neunzigjährigen Mannes, der sich von der gewollt sanften Stimme der Schwester nicht einlullen lässt.

*

Eine halbe Stunde später stehe ich mit meinem immer noch wutschnaubenden Urgroßvater auf dem Parkplatz vor dem Heim. Er hat so lange einen Aufstand gemacht, bis der Vorfall geklärt war. Die Schwester hat den Pfleger gerufen. Einen dicklichen jungen Mann, dem der Trotz ins pickellige Gesicht geschrieben stand, als er langsam und unbeholfen zu einer Erklärung ansetzte: Die Urgroßmutter hätte eingenässt und der Pfleger hätte ihr nasses Nachthemd wechseln wollen. Doch sie hätte sich heftig gewehrt und schließlich nach ihm geschlagen. Daraufhin hat er die alte Frau aus Wut und Rache in ihrem nassen Nachtzeug liegen lassen. »Mit der Schnabeltasse hat sie mich geschlagen, mit der *Schnabeltasse*!«, rechtfertigte sich der Pfleger immer wieder.

Obwohl die Sache bitterernst war, muss ich bei der Vorstellung fast lachen, wie die alte Frau dem verpickelten Bubi eins über den Schädel zieht – mit einer Plastiktasse, auf der eine grinsende gelbe Ente prangt.

Doch als ich Ice H. nun angucke, vergeht mir schlagartig jeglicher Hang zur Komik. Er hat einen Gesichtsausdruck, den ich noch nie bei ihm gesehen habe: Schmerz. Ich kann fast körperlich spüren, wie der alte Mann leidet. Und in dem Moment zieht sich auch mein Herz zu einer kleinen, harten Kugel zusammen und ich habe ein nie gekanntes Gefühl dem alten Mann gegenüber: Zuneigung. Über dieses ungewohnte Gefühl bin ich so überrascht – mutiere ich jetzt zum Emo, oder was? –, dass ich zuerst gar nicht höre, was Ice H. zu mir sagt.

Erst als er sein Angebot wiederholt, sickern die Wörter und deren Bedeutung langsam in mein Bewusstsein.

»Du brauchst doch Geld, oder?«, beginnt er. Und Ice H. will es mir geben. Nicht 600 Euro, sondern 1.000. Bei der Summe schnappe ich nach Luft. Das reicht für den Flug und locker für eine Woche essen, trinken und vielleicht sogar shoppen! »Unter einer Bedingung«, mahnt er.

Ich blicke ihn an, noch ganz benommen, dass mein Ziel, Laser zu sehen, zum Greifen nah ist.

»Du hilfst mir, deine Urgroßmutter hier rauszuholen. Ich bringe sie nach Hause – und du fährst uns«, sagt Ice H. und blickt mich an.

»Klar«, sage ich schnell und denke, dass ich noch nie so leicht an so viel Kohle gekommen bin. 1.000 Euro dafür, dass ich einer alten Frau in den Aufzug helfe und zwei alte Leutchen 15 Kilometer vom Pflegeheim zu ihrem Haus kutschiere. Wie genial ist das denn? Nika wird vor Neid platzen. Ich kann es kaum erwarten, sie anzurufen und ihr zu erzählen, dass ich in zwei Tagen im Flieger nach L.A. sitzen werde.

Aber erst müssen wir uns um die Urgroßmutter kümmern. Die Sache wird nur leider dadurch erschwert, dass sich Ice H. weigert, noch einmal mit der Oberschwester zu sprechen.

»Ich brauche keine Erlaubnis, um meine Frau vor diesen … diesen … *Subjekten* zu schützen«, schnaubt er und ich beschließe, angesichts der versprochenen Kohle lieber die Klappe zu halten, ehe er es sich noch einmal anders überlegt.

*

Als ich im Flur Schmiere stehen soll, während er seine Frau anzieht und aus dem Zimmer holt, bin ich drauf und dran, alles hinzuschmeißen und die 1.000 Euro 1.000 Euro sein zu lassen. Dann aber erinnere ich mich an den Schmerz im Gesicht meines Urgroßvaters und beschließe, dass er schon wissen wird, was er tut.

Offensichtlich ist das aber nicht der Fall. Zehn Minuten lungere ich auf dem Flur herum und hoffe, dass weder Pflegern noch Schwestern einfällt, ausgerechnet jetzt nach den Patienten zu sehen. Als ich ungeduldig die Tür zum Zimmer der Urgroßmutter einen Spalt aufmache, versucht Ice H., ihr geduldig zu erklären, warum sie sich die Schuhe anziehen soll.

»Wir machen einen schönen Ausflug«, säuselt er.

In einem solchen Ton habe ich ihn noch nie reden hören. Meist hieß es nur: »Man muss ...« oder »Ich will ...« oder einfach nur »Lass das«.

Als er mich an der Tür stehen sieht, macht er eine energische Kopfbewegung, die wohl signalisiert, dass ich wieder rausgehen und Aufpasserin spielen soll. Brav schlucke ich den Satz runter, dass das alles hier purer Wahnsinn ist, und positioniere mich wieder vor der Tür. Da höre ich um die Ecke das Quietschen von Gummisohlen – und Stimmen, die sich nähern. Die Pflegerbrigade! Mist! Was jetzt?

Da kommt mir eine Idee, aber die ist nicht ohne Risiko. Hastig drücke ich die Türklinke zu meiner Linken – es ist das Zimmer schräg gegenüber von Urgroßmutters – und schlüpfe durch den Spalt hinein.

Aus den Betten starren mich zwei faltige Gesichter mit leeren Augen an.

»Hi«, flöte ich. Was Besseres fällt mir im Moment nicht ein.

Die beiden alten Frauen haben den Blick wortlos auf mich gerichtet. Hoffentlich habe ich die zwei nicht zu Tode erschreckt. Und eine fängt gleich an zu schreien.

»Ich ... hm ... wie läuft's denn so?«, presse ich wenig originell heraus.

Eine der alten Frauen öffnet den Mund. »Theresa, bist du's?«

Ich weiß für einen Moment nicht, was ich sagen soll, doch dann nicke ich hastig. »Klar, ich bin's! Ich wollte Sie ... äh ... dich besuchen! Weißt du was? Jetzt bestellen wir erst mal einen schönen Kaffee bei der Schwester, ja?«

Ich angle nach der Klingel, die für Notfälle über dem Bett angebracht ist, und drücke den Knopf. Ein schriller Ton erklingt, der mich zusammenzucken lässt.

»Liebling, es hat geklingelt. Machst du auf?«, ertönt eine brüchige Stimme aus dem Nachbarbett. »Es ist sicher Robert, der uns besucht, und ich hab keinen Kuchen gebacken«, jammert die alte Frau.

»Kein Problem, ich hole welchen, ja?«, hasple ich und sehe mit schlechtem Gewissen, wie das Gesicht der Greisin aufleuchtet. »Bin gleich wieder da«, sage ich und flitze aus dem Raum.

Ich komme mir vor wie ein Verbrecher, die alten Leute so in die Irre zu führen und für meine Zwecke einzuspannen. Aber ich tue das alles ja nur für meine Urgroßeltern. Das rede ich mir zumindest ein. Schnell schlüpfe ich ins gegenüberliegende Zimmer, wo Ice H. vor dem Bett der Urgroßmutter kniet und ihr gerade den zweiten Schuh zubindet. Keine Sekunde zu früh, denn schon hört man die eiligen Schritte zweier Krankenschwestern auf dem Linoleumboden im Gang, die gleich darauf zu den zwei alten Frauen schräg gegenüber verschwinden. Türklappen, dann Stille.

»Schnell jetzt, raus hier«, zische ich und helfe Ice H. aufzustehen, was der nur unter Ächzen und sichtlichen Schwierigkeiten schafft.

Dann haken wir Uroma unter.

»Jetzt geht's nach Hause, Liesel«, sagt er und über das Gesicht der alten Frau huscht ein Lächeln. Bereitwillig lässt sie sich aus dem Zimmer und zum Aufzug führen.

Erst als sich die Fahrstuhltür schließt, merke ich, dass ich schweißgebadet bin. Das hätte echt schiefgehen können. Nicht auszudenken, was passiert wäre, wenn die Pflegerinnen uns ertappt hätten, wie wir gemeinsam eine 88-jährige, demenzkranke Frau entführen! Allerdings habe ich keinen Schimmer, wie mein Urgroßvater es unbemerkt an der Pforte vorbei nach draußen schaffen will.

Er drückt auf den K-Knopf des Fahrstuhls und so landen wir nicht im Erdgeschoss, sondern im Keller des Pflegeheims. Dort lotst er uns durch einen Gang, der vom weißkalten Licht langer Neonröhren erhellt wird und an dessen Wänden die Gestelle von Pflegebetten wie metallene Skelette stehen. Die schwere Eisentür am Ende des Gangs führt direkt in die Tiefgarage, wo der klapprige Mercedes inzwischen parkt.

Ich mustere ihn mit widerwilliger Bewunderung: perfekter Plan. Wenn wir eine Bank ausgeraubt hätten, wäre uns die fette Beute sicher. Und genau genommen trennen auch mich nur ein paar Kilometer von 1.000 Euro. Auch nicht schlecht.

Als wir die Urgroßmutter auf den Rücksitz verfrachtet haben und Ice H. – sich mühsam am Türrahmen festhaltend – sich mit seinem steifen Knie danebenbefördert hat, fällt mir ein, dass ich eigentlich gar nicht fahren dürfte, weil er in meinem Führerschein nicht als offizieller Beifahrer eingetragen ist. Andererseits sind es nur ein paar Kilometer auf der Landstraße und am Ende winkt ein Tausender. Also drehe ich den Zündschlüssel um und die alte Kiste erwacht röhrend zum Leben. Ich starre einen Moment verwirrt auf die Schaltung – Automatik bin ich noch nie gefahren. Ich weiß nur, dass man zum Fahren den Hebel auf D wie »Drive« stellen muss. Eine gute Übung, bevor ich in den USA einen Cruiser miete, um mit Laser den Highway entlangzudüsen. Optimismus hat noch nie geschadet.

Ich löse die Handbremse. Beinahe ramme ich einen der Pfeiler, denn mein linker Fuß sucht automatisch die fehlende Kupplung und tritt stattdessen mit voller Wucht aufs Gaspedal. Die Reifen quietschen, als ich gerade noch rechtzeitig eine Vollbremsung hinlege. Die beiden alten Leutchen werden heftig gegen den Sicherheitsgurt gepresst, was Ice H. mit einem unwilligen Knurren quittiert. Angriff ist die beste Verteidigung, beschließe ich.

»Willst du fahren, Urgroßvater?«, frage ich zuckersüß und blicke über den Rückspiegel in sein grimmiges Gesicht.

Statt einer Antwort grummelt er nur irgendwas Unverständliches in seinen Kragen. Ich atme tief durch und befehle im Geiste meinem linken Fuß, einfach Ruhe zu geben.

Ohne weitere Zwischenfälle kommen wir aus der Tiefgarage und an die erste Kreuzung. Ich setze den Blinker links. Ein paar Kilometer weiter liegt das kleine bayerische Dorf, in dem das Haus der Urgroßeltern steht.

»Rechts«, ertönt die Stimme des Urgroßvaters von der Rückbank. Überrascht drehe ich den Kopf. Fängt Ice H. jetzt auch schon an zu vergessen, wo er wohnt?

»Ich sollte doch die Oma nach Hause fahren«, sage ich und merke, dass ich einen ähnlich geduldigen Tonfall anschlage wie Ordensschwester Sanftes-Lamm vorhin.

»Eben«, sagt Ice H. »Nach Hainspach.«

»Nach wo?«, frage ich sicherheitshalber, denn jetzt kapiere ich gar nichts mehr. Diesen Namen habe ich unter Garantie noch nie gehört.

»Na ja, inzwischen heißt der Ort Lipová«, sagt er so beiläufig, als handle es sich um eine Lappalie. »Liegt bei Schluckenau – also direkt hinter der tschechischen Grenze. Und genau da fahren wir jetzt hin.«

*

Das Auto steht mit laufendem Motor an der Kreuzung. Ich muss das Gesagte erst mal verdauen und blicke immer noch ungläubig zu Ice H. Der nickt mir zu – mit größter Selbstverständlichkeit, als würden wir nur mal eben zum Bäcker um die Ecke fahren, statt in den Ostblock, dahin, wo Urgroßmutter aufgewachsen ist. Ehe der Krieg kam und alles anders wurde. Nur was sich geändert hat, das weiß ich bis heute eigentlich nicht so recht. Dieses Thema wurde bisher immer ausgeklammert. »Man soll die Vergangenheit ruhen lassen«, antwortet Ice H. jedes Mal barsch, wenn ich danach zu fragen wage. Und jetzt will er plötzlich genau das Gegenteil tun und seine Frau sechzig Jahre zurückbeamen, in die Zeit vor dem Krieg?

Ohne mich!, entscheide ich und stelle den Motor ab. Er ist wohl völlig verrückt geworden, mit seiner demenzkranken Frau samt seiner 17-jährigen Urenkelin mal eben ein paar Hundert Kilometer durch Deutschland und dann über die tschechische Grenze zu fahren. Das soll er mal schön alleine machen. Ich will in die USA und nicht in ein gottverlassenes tschechisches Kaff, wo meine Urgroßmutter vor hundert Jahren mal gewohnt hat. Allerdings werde ich ohne Urgroßvaters Geld nirgendwo anders hin als zurück nach Hause fahren – und zwar mit dem Zug. Aber das ist jetzt auch egal. Lieber knacke ich den Jackpot oder versuche, mir das Geld doch von irgendwem anders zu leihen, als mit zwei Alten auf so einen Wahnsinnstrip zu gehen.

»Motte«, sagt Ice H. bittend und hätte ich nicht vorher schon den Motor abgestellt, hätte der Wagen jetzt garantiert einen Satz gemacht, weil mein Fuß von der Bremse rutscht, so überrascht bin ich. Noch nie zuvor hat er mich »Motte« genannt. Bisher hieß ich immer nur »das Kind« oder »du da«. Ich starre ihn an, verblüfft, als hätte er ein weißes Kaninchen aus dem Kofferraum gezaubert. Er sieht gar nicht mehr aus wie der harte Mann, den ich seit meiner Kindheit kenne. Seine Augen sind gerötet, die Unterlippe und die Wangen hängen etwas und wirken schlaff. Müde sieht er aus, müde und verletzlich.

»Motte, versteh mich doch! Ich kann doch nicht einfach so zuschauen, wie meine Liesel vor die Hunde geht«, sagt Ice H.

bittend. »Wenn ich es schaffe, dass sie sich wieder erinnert, dann kann ich sie mit nach Hause nehmen und sie muss nicht mehr in dieses Heim zurück.«

Ich versuche einzuwerfen, dass er sich das nur einredet, aber mir sitzt ein harter Klumpen in der Kehle und ich bringe keinen Ton raus.

Er beugt sich vor, seine Stimme wird lebhafter: »Die Ärzte haben gesagt, eine Konfrontation mit Dingen aus der Vergangenheit hilft dem Gedächtnis wieder auf die Sprünge! Und Liesel hat mir oft erzählt, wie glücklich sie mit ihren Schwestern war! Sie hat ihr Elternhaus und den Garten dort so gern gehabt! Wenn ich sie dorthin bringe, dann erinnert sie sich bestimmt und wir können wieder zusammenleben – daheim!«

Der Eifer, mit dem sich der alte Mann an seiner Hoffnung festhält, schneidet mir wie eine scharfe Messerklinge ins Herz. Am liebsten würde ich ihm klipp und klar sagen, dass er sich an einen Strohhalm klammert. Doch da schleicht sich, leise wie eine Schlange an die Maus, ein unbequemer Gedanke in meinen Kopf: Tue ich in Bezug auf Laser etwas anderes? Was macht mich denn so sicher, dass er sich freut, wenn ich auf einmal in L.A. vor ihm stehe?

Rasch schiebe ich diese Zweifel beiseite. Hier geht es um meinen neunzigjährigen Urgroßvater und einen ziemlich absurden Plan.

Als hätte Ice H. gespürt, dass ich seine Argumentation wie ein Kartenhaus einstürzen lassen kann, fährt er hastig fort: »1.000 Euro, überlege es dir. Es sind nur ein paar Hundert Kilometer, morgen sind wir wieder hier. Dann kannst du mit dem Geld machen, was du willst.«

Unwillkürlich beginne ich zu rechnen. Gestern Nacht ist Laser nach L.A. geflogen. Wenn ich übermorgen in den USA lande, hätten wir immer noch vier oder fünf Tage zusammen. Und vielleicht stimmt ja, was Ice H. sagt, und die Fahrt in die Heimat meiner Urgroßmutter, ins Sudetenland, bringt ihr Gedächtnis wieder auf Trab.

Aber scheinbar soll sich nicht nur meine Urgroßmutter erinnern. Mir schießt der Begriff »Sudetendeutsche« durch den Kopf. Dieses Wort ist früher ab und zu in Bezug auf meine Urgroßmutter gefallen. Genau wie das Wort »ausgesiedelt«. Begriffe, mit denen ich als Kind nichts anfangen konnte. Ich stellte mir darunter immer Leute vor, die Süßigkeiten verkauften, weil »Sudeten« so dunkel und warm klingt wie Lebkuchen mit Schokoladenüberzug. Erst später, in der Schule, habe ich erfahren, dass die Sudetendeutschen bis zum Krieg in den tschechischen Grenzländern Böhmen und Schlesien gelebt hatten, bis sie ab 1945 von dort vertrieben wurden. Meine Urgroßmutter ist also vielleicht gar nicht freiwillig nach Deutschland gekommen. Und nach dem verlorenen Krieg musste sie bestimmt erst mal damit klarkommen, dass das Dorf, in dem sie geboren und aufgewachsen war, plötzlich einen tschechischen Namen hatte. Auf einmal durften sie und ihre Schwester dort kein Wort Deutsch mehr sprechen. Und zwei Jahre später wurde ihre Mutter schließlich gezwungen, mit ihren beiden erwachsenen Töchtern nach Sachsen zu ziehen. Zwei weitere Jahre später zogen sie wiederum nach Bayern um – in eine kleine Dachwohnung neben dem Haus meines Urgroßvaters. Manche Redewendungen und Ausdrücke wie »bez práce nejsou koláče – ohne Arbeit keinen Kuchen« –, was so viel heißt wie »ohne Fleiß keinen Preis«, hat Urgroßmutter bis heute beibehalten.

»Also gut. Morgen Nachmittag sind wir wieder hier – und keinen Tag später«, lasse ich mich breitschlagen. »Und du stehst dafür gerade, dass ich mit Ma keinen Ärger kriege«, füge ich vorsichtshalber hinzu. Um deren entsetztes Gesicht, das vor meinem inneren Auge auftaucht, und die Argumente auszublenden, die gegen diese Fahrt sprechen, starte ich den Motor und stelle den Hebel erneut auf D. »Du weißt hoffentlich, wo's langgeht«, knurre ich nach hinten. Ich muss knurren, denn die Freude im Gesicht des alten Mannes schnürt mir die Kehle zu, sodass ich meine Stimme kaum finde.

Ice H. beugt sich nach vorne, fasst zwischen den Sitzen hindurch und kramt im Handschuhfach. Dann fördert er ein kleines silbernes Gerät zutage. »Das irrt sich nie«, sagt er stolz.

Ich kann nur staunen, dass er mit neunzig überhaupt weiß, dass es so was wie Navigationsgeräte gibt. »Jetzt sag nicht, dass du das Ding aus dem Internet hast«, versuche ich zu scherzen.

»Das gab's vor einer Woche beim Kirchenbasar der Pfarrei – ganz billig«, erklärt er. »Ich dachte, vielleicht ist es mal nützlich. Und der Erlös kam einem wohltätigen Zweck zugute!«

Na klar, denke ich und verdrehe die Augen. Erzkatholik bleibt Erzkatholik und der liebe Gott sorgt beim Kirchenbasar sogar für Navis – vielleicht findet man damit den Weg in den Himmel leichter.

»Sprechende Schlangen waren leider ausverkauft«, fügt er hinzu.

Vor Überraschung fahre ich fast in den Graben – dass er *das* noch weiß! Als ich den Kopf wende, sehe ich ihn verschmitzt lächeln. Ich muss nun auch grinsen und gebe kopfschüttelnd Gas. Offenbar geschehen noch Zeichen und Wunder. Erst nennt Ice H. mich »Motte«, dann lächelt er auch noch – und am Ende erinnert sich meine Urgroßmutter womöglich wieder daran, wer sie ist!

Mir ist auf einmal leicht ums Herz und übermütig beschleunige ich auf Tempo achtzig, während Ice H. mit einem Piepton das Gerät einschaltet.

Kapitel 5

Ein toter Clown und eine lebendige Erinnerung

Natürlich haben wir uns verfahren. Erst weigerte sich das Navi, »Hainspach« zu akzeptieren. Und als Ice H. »Lipová« eingab, stellte sich heraus, dass das Gerät nur Karten von Deutschland, Österreich und der Schweiz anzeigen kann. Tschechien? Fehlanzeige. Mein Urgroßvater hat daraufhin eine uralte, an vielen Stellen geknickte und eingerissene Straßenkarte aus dem Kofferraum gekramt und versucht, mich anhand der Karte von anno Nachkriegszeit nach Lipová zu lotsen. Was bisher zweimal schiefging. Als wir das erste Mal in einer Sackgasse landeten, war ich zwar genervt, aber da atmete ich noch tief durch. Denk an die USA und an Laser, sing in Gedanken »Ommm« und wende einfach den Wagen, redete ich mir gut zu – auch wenn meine innere Stimme diese Beschwörung schon in verdächtig hohem Ton fistelte.

Als mein Urgroßvater nun aber wieder Mist baut und die angeblich »richtige Straße« diesmal am Ufer eines Baggerlochs endet, bin ich mit meiner Geduld am Ende. »Herrgott noch mal, wieso hast du auch so eine gottverdammte Uralt-Karte«, gehe ich wie eine fehlgezündete Silvesterrakete hoch.

»Wage es nicht, den Namen des Herrn zu missbrauchen!«, donnert Ice H. und ich zucke erschrocken zusammen, so aufgebracht klingt er.

Ich beiße mir auf die Zunge, obwohl ich am liebsten nach ihm schnappen würde wie ein wild gewordener Terrier. Soll er doch mit seiner verrückten Alten alleine nach Tschechien fahren und mich in Ruhe lassen. Und seine Kohle kann er sich auch sonst wohin stecken, denke ich gehässig. Aber nach einem Blick in den Rückspiegel schlucke ich meine Wut runter wie einen bitteren Schluck Hustensaft: Ice H. versucht verzweifelt mit zusammengekniffenen Augen, die richtige Linie auf der Karte zu orten.

Schweigend setze ich das Auto zurück und wende. Keiner spricht, als wir endlich die richtige Zufahrtstraße finden und auf die Autobahn einbiegen.

*

120 Kilometer später haben ich und Ice H. immer noch kein Wort miteinander gewechselt. Inzwischen ist es später Nachmittag und mein Magenknurren ist nicht mehr zu überhören. Ich brauche was zu essen.

»Ich hab Hunger«, sage ich auffordernd in den Rückspiegel, wo der alte Mann immer noch stirnrunzelnd die Landkarte studiert.

Keine Reaktion.

»Hallo, mein Magen hängt inzwischen nahe am Gaspedal«, versuche ich es erneut. Braucht man mit neunzig nichts mehr zu essen, oder was? Enervierend langsam hebt Ice H. den Blick. »Tja«, sagt er, »das könnte schwierig werden. Liesel isst nicht alles, weißt du. Mal will sie nur Kartoffeln, am nächsten Tag pickt sie sich nur die gekochten Möhren raus ...«

Mir ist vor lauter Hunger schwindlig und daher ist es mir egal, was und wie viel meine Urgroßmutter isst – *ich* jedenfalls brauche jetzt sofort was zwischen die Kiemen oder er kann die Weiterfahrt vergessen. Genau das sage ich ihm.

»Na gut, wie du meinst, dann suchen wir uns eben ein Gasthaus ...«, setzt er an.

»Ach, Quatsch«, unterbreche ich ihn, setze den Blinker und biege so schwungvoll in die nächste Ausfahrt ein, dass ihm fast die Karte von den Knien rutscht. Ich habe nämlich ein großes gelbes M entdeckt, das uns verheißungsvoll entgegenleuchtet. Schnell, fettig und reichlich – genau die Mahlzeit, nach der mein rumorender Bauch jetzt giert. Ehe Ice H. protestieren kann, halte ich auf dem Parkplatz und löse schwungvoll den Anschnallgurt. Ich habe die Tür geöffnet und stehe schon mit einem Bein auf dem Asphalt, als die eisige Stimme meines Urgroßvaters hinter meinem Rücken ertönt.

»Was«, fragt er und deutet auf den gläsernen Kubus, über dem der knallgelbe Leuchtbuchstabe prangt, »ist das da für ein scheußliches Ding?«

Ich schnaube genervt. Seit die Alliierten 1945 einmarschiert sind, hasst Ice H. alles, was aus den USA kommt. Mit dem amerikanischen Namen des Fast-Food-Ladens brauche ich ihm gar nicht erst zu kommen, sonst setzt er keinen Fuß dort rein. Während ich noch überlege, wie ich etwas in den Magen kriege, ohne mich mit ihm auf eine politische Diskussion einlassen zu müssen, erklingt eine brüchige Stimme vom Rücksitz.

»Wo bin ich?«

Ich erstarre mitten in der Bewegung – weniger aus Schreck, eher aus Überraschung, dass meine Urgroßmutter tatsächlich spricht.

»Hallo Oma, wir sind … öh … also, ich dachte, wir gehen was essen. Na, was meinst du?«, flöte ich gewollt munter und hasse mich gleich darauf für diesen Ton. Als ob ich mit einem begriffsstutzigen Hund sprechen würde. Dutzi, dutzi, willst du Fressi? Nur weil meine Uroma vergesslich geworden ist, heißt das noch lange nicht, dass ich sie behandeln darf wie eine Idiotin.

Also hole ich tief Luft und sage in normalem Tonfall: »Passt auf. Ich hole mir was zu essen. Ihr könnt mitkommen oder hierbleiben. Aber ohne Futter läuft bei mir gar nichts mehr, okay?«

Ich bekomme keine Antwort, aber Ice H. öffnet die hintere Tür und steigt aus. Anschließend ist er seiner Frau behilflich. Eingehakt dackeln die zwei alten Leutchen hinter mir her, während ich mit energischen Schritten auf die gläserne Eingangstür zustrebe.

»Wo sind wir?«, fragt meine Urgroßmutter erneut.

Ich gebe keine Antwort. Die vergisst sie sowieso gleich wieder. Doch da habe ich die Rechnung ohne sie gemacht.

»Da oben ist ein M. Was heißt M?«, quengelt ihre Stimme hinter mir.

M wie Mundhalten, liegt es mir auf der Zunge, aber ich beherrsche meine Ungeduld. Einfach nicht hinhören. Ich stelle mir goldgelbe Fritten und knusprige Hähnchennuggets vor, die gleich vor mir auf dem Tablett …

»Herri, was heißt M?«, Meine Uroma mag nicht mehr der Turbochecker sein, aber hartnäckig ist sie, das muss man ihr lassen.

»Hier gibt es was zu essen. Und M heißt … das M bedeutet, äh …«

Ich bin nun auch stehen geblieben und drehe mich nach den beiden Alten um. Ice H. blickt mich hilfesuchend an. Aber ehe ich mir was zurechtlegen kann, huscht plötzlich ein strahlendes Lächeln über das Gesicht der alten Frau.

»Mahlzeit, das heißt Mahlzeit!«, ruft sie und sieht in dem Moment aus wie ein Kind, das gerade sein erstes Wort lesen gelernt hat.

»Genau, Oma, Mahlzeit – und deswegen gehen wir jetzt rein und hauen uns richtig den Bauch voll«, grinse ich.

Nur flüchtig kommt mir der Gedanke, welchen Eindruck die beiden alten Leutchen wohl auf die vorwiegend an junge Gäste gewöhnten Mitarbeiter machen: Ice H. mit seiner abgewetzten Breitcordhose, die – von altmodischen Hosenträgern gehalten – über seinem Bauch spannt, und meine Urgroßmutter in einem unförmigen Pulli und Wollrock und dazu klobige, abgewetzte Halbschuhe. Aber ehe ich mir überlegen kann, ob die zwei mir peinlich sind oder ob ich es lustig finde, sind wir auch schon in dem warmen, stickigen Restaurant, in dem es nach Pommes, Frittierfett und Käse riecht. Die ganze Speisekarte in einem Atemzug. Irgendwie fühle ich mich plötzlich Laser nahe. Vielleicht sitzt er ja auch gerade in L.A. in einem Fast-Food-Laden und isst einen Burger.

Weil Ice H. natürlich keinen Durchblick hat, bestelle ich einfach einen wilden Mix aus Cheeseburger, Pommes, Hühnerteilen und noch einigen Dingen, von denen ich hoffe, dass irgendwas dabei ist, was Urgroßmutter essen wird. Als ich wie ein Diener am Hof des Sonnenkönigs mit dem voll beladenen Essenstablett an den Tisch komme, wirft Ice H. einen angewiderten Blick darauf.

»Verschwendung!«, knurrt er. »Wir haben uns kurz nach dem Krieg zu viert von zwei Scheiben Brot ernährt. Meine Söhne hab ich zum Arbeiten bei den Bauern aufs Feld geschickt, damit wir am Abend ein paar Kartoffeln und Rüben zu essen hatten. Heutzutage stellen sie so ein Zeug am Fließband her und die Hälfte schmeißen sie abends in den Müll!«

Im Geist verdrehe ich die Augen. Soll ich jetzt 65 Jahre später ein schlechtes Gewissen haben, oder was? Energisch greife ich nach einem Burger und beiße hinein. Urgroßmutter betrachtet skeptisch die Sachen, die in Papier und Tüten verpackt vor ihr liegen.

»Hier, Oma, versuch mal, das sind Kartoffeln!«, starte ich einen Versuch und halte ihr das Pommestütchen unter die Nase wie einem Kind ein verlockendes Spielzeug. Tatsächlich greift sie zu und steckt sich zwei der dünnen, fettigen Stäbchen in den Mund.

»Was ist das?«, fragt sie.

»Das sind Kartoffeln, Oma.«

Sie nickt wissend. »Aha.«

Auch Ice H. nimmt mit spitzen Fingern eine Fritte. Als er sie in den Mund gesteckt hat, wirft er mir einen Blick zu, der besagt: Scheußlich! Bestätigung heischend blickt er zu seiner Frau und vergisst vor Verblüffung zu kauen. Mein Blick folgt seinem: Meine Uroma mümmelt mit verzückter Miene die Pommes und greift eifrig immer wieder in die Tüte, um sich ein Kartoffelstäbchen nach dem anderen in den Mund zu schieben. Ich kann mir ein triumphierendes Grinsen nicht verkneifen.

»Was ist das?«, fragt sie schon wieder.

»Das sind Kartoffeln, Oma«, wiederhole ich, als wäre ich eine CD mit Sprung.

»Aha.«

Ich frag mich, ob das jetzt immer so weitergeht: zwei Pommes, dann die Was-ist-das-Frage. Als würden die Gedanken im Kopf der Urgroßmutter durch ein Sieb rieseln.

Gerade als sie zum dritten Mal zu ihrer Frage ansetzt, tritt das Grauen in Gestalt eines Clowns an unseren Tisch.

Ich konnte Clowns noch nie leiden. Schon als kleines Kind hatte ich Angst vor diesen geschminkten Wesen und protestierte schreiend, als meine Mutter mich in den Zirkus schleppen wollte. »Aber Herzchen, das ist lustig! Da springen Löwen durch Reifen und Pferde tanzen Walzer«, versuchte sie, Klein-Motte zu locken. Ich zeigte aber nur laut heulend mit dem Finger auf das Plakat, auf dem ein weiß geschminktes Harlekingesicht mit einem verzerrten roten Lachmund für das Zirkusprogramm warb. »Nein, nein, nein«, brüllte ich und trat mit den Füßen nach dem Plakat. So lange, bis meine Mutter es aufgab, mich mit Seehunden und Seiltänzern ködern zu wollen. Stattdessen gingen wir ins Kino: *Das große Krabbeln*. Hunderte von Zeichentrick-Insekten erschreckten mich damals nicht annähernd so wie ein einziger Clown.

Und nun steuert der Horror also direkt auf unseren Platz zu. Mit orangefarbener Perücke, einem riesigen roten Lachen im Gesicht und lächerlich großen Schuhen ist er das Markenzeichen und Maskottchen der Fast-Food-Kette. In der Hand hat er ein paar gelbe und rote Ballons, die wild über seinem Kopf herumtanzen. Ich verfluche die Tatsache, dass es an der Autobahn keinen Döner- oder Pizza-Laden gibt. Die schicken einem wenigstens nicht solche Gruselgestalten zum Nachtisch. Starr blicke ich auf die

Überreste von Ketchup und Hähnchenflügeln und hoffe, dass meine Clownphobie nicht auf meine Uroma übergreift. Ich sehe schon die Schlagzeile vor mir: »Clown erschreckt 88-Jährige – Herzattacke!« Verzweifelt rufe ich im Geiste nach einer guten Fee und wünsche mir, der Kerl mit seinen viel zu großen Schuhen möge einfach an uns vorbeigehen.

Doch ich habe die Rechnung ohne meine Uroma gemacht. »Mein Guter, da ist ja mein Bester!« Mit diesem Ausruf springt sie auf und umarmt den verdutzten Clown stürmisch. Die Arme fest um das unförmige Kostüm geschlungen, schmiegt die alte Frau ihre Wange mit einem seligen Lächeln an die Schulter des Clowns, der wie erstarrt dasteht und nicht weiß, wie ihm geschieht.

Urgroßmutter öffnet die Augen und strahlt Ice H. an. »Herri – das ist Grock! Grock ist hier, siehst du das?« Sie lacht glücklich.

»Wer ist Grock?«, zische ich in Richtung meines Urgroßvaters und auch der Clown schickt ihm – sichtlich überfordert – einen hilfesuchenden Blick.

»Grock, der Zirkusclown, war eine Berühmtheit von den Zwanzigerjahren bis nach dem Krieg. Man nannte ihn damals auch den König der Clowns. ›Nit mööööchlich‹ – mit diesem Ausspruch ist er weltberühmt geworden«, raunt Ice H.

»Wieso erinnert sie sich an einen Clown, den sie vor achtzig Jahren mal gesehen hat?«, frage ich verwirrt.

»Ihr Langzeitgedächtnis funktioniert, sagen die Ärzte«, raunt er mir zu. »Nur was gerade passiert, vergisst sie. Im Moment jedenfalls«, fügt er hastig hinzu.

Meine Urgroßmutter sitzt also in einer Zeitmaschine, die rückwärtsdüst, denke ich zerstreut.

Sie hat den überraschten Clown inzwischen aus ihrer Umklammerung entlassen und steht jetzt mit leuchtenden Augen und artig vor dem Bauch gefalteten Händen vor ihm. »Er soll es sagen, Herri!«, bettelt sie und schaut mit großen Kinderaugen flehend zu ihrem Mann.

Der nickt verkniffen. »Na los, sagen Sie's«, fordert er den verwirrten Mann im Clownskostüm auf.

»Was denn?«, flüstert der verschreckt.

»Na, was Grock immer gesagt hat: ›Nit möööchlich!‹ Das habe ich doch gerade erklärt«, bellt mein Urgroßvater.

Daraufhin krächzt der arme Kerl eingeschüchtert unter seiner Schminke: »Nicht möööglisch«! Wahrscheinlich ein schlecht bezahlter Student, der sich seinen Job einfacher vorgestellt hat.

»Nein, verflixt noch mal! ›Nit mööööchlich!‹ Vorne ›öööch‹ und hinten ›-lich!‹«, fährt Ice H. dem Clown ungeduldig über den großen rot geschminkten Mund.

»Nich mööööchlich!«, fiept der verängstigte Typ und der alte Mann verdreht die Augen.

Immerhin besser als der erste Versuch, finde ich.

Doch meine Urgroßmutter ist einen Schritt zurückgewichen und mustert den Clown unsicher. Dann dreht sie sich um: »Herri, das ist gar nicht Grock«, flüstert die alte Frau. So leise, als wüsste nur sie Bescheid und wolle den Clown nicht kränken.

Ice H. gibt keine Antwort. Er schluckt nur hart und sieht starr vor sich auf die Tischplatte. Auch mir tut es weh, die großen, traurigen Augen der Urgroßmutter zu sehen. Hilflos lege ich meine Hand auf ihre runzeligen Finger und drücke kurz die welke, schlaffe Hand – etwas, das ich vorher noch nie getan habe.

Langsam dreht sich meine Uroma zu dem Clown um. »Meine Gedanken sind nichts mehr wert«, flüstert sie und klopft sich mit den Knöcheln ihrer linken Hand leicht gegen die Schläfe.

Zum Trost schenkt ihr der Clown alle Luftballons, die er hat. Und so fahren wir weiter – mit einem Strauß gelber und roter Ballons, die neben mir wie kleine, bunte Ufos an der Decke des Autos schweben. Woher die Ballons kommen, hat die alte Frau bereits vergessen, als ich aus der Raststättenausfahrt auf die Autobahn einbiege. Immer nach Osten, denn im Osten liegt unser Ziel.

Li-po-vá, Li-po-vá, hämmert es in meinem Kopf, selbst der Rhythmus der Autoreifen scheint immer wieder diese drei Silben zu wiederholen. Was uns wohl erwartet, wenn wir tatsächlich dort ankommen? Ob meine Urgroßmutter ihren Heimatort wiedererkennt und dort vielleicht doch bereits verlorene Fragmente ihrer Erinnerung wiederfindet? Erinnerungen an eine unbeschwerte Kindheit mit ihren Schwestern, als alle noch am Leben waren und sich der Krieg in weiter Ferne befand?

Auf einmal sehe ich mein altes Kinderzimmer wieder vor mir, als würde ein etwas wackliger Film in meinem Kopf abgespielt: zartrosa Wände, apfelgrüne Vorhänge und ein Schaffell auf dem Boden. Als kleines Mädchen habe ich mich immer an das Fell gekuschelt und mir vorgestellt, es wäre mein Haustier. Damals habe ich mir nichts sehnlicher als ein Tier gewünscht, am liebsten wollte ich einen Hund. Bei meiner Mutter war ich jedoch auf eisernen Widerstand gestoßen. »Ein Hund ist eine Beißmaschine in flauschiger Tarnkleidung«, sagt sie immer. Sie ist als Zwölfjährige mal gebissen worden. Seitdem hat sie eine heftige Abneigung gegen Hunde jeglicher Rasse und sei es nur ein Zwergpinscher, der nicht mal richtig bellen kann. Hunde beißen, Katzen streunen, Kaninchen stinken und Hamster rauben einem mit nächtlichen Laufradmarathons den Schlaf. Alles Totschlagargumente, gegen die ich nicht ankomme. Ob Ice H. jemals ein Haustier hatte?

Als ich ihn danach frage, schüttelt er unwillig den Kopf und knurrt: »Pah, alles unnütze Esser! Außerdem mag ich keine Hunde. Und Katzen sind alle Streuner!«

Anscheinend wird die Argumentation contra Haustier vererbt.

»Fips ist ein lieber Hund«, ertönt auf einmal die brüchige Stimme vom Rücksitz.

Flüchtig blicke ich in den Rückspiegel. Meine Urgroßmutter hat sich aufgerichtet, ihr Gesicht ist lebhaft.

»Fips, sitz! Braver Hund, mach Männchen, such den Ball«, trällert sie mit heller Kinderstimme.

»Ist schon gut, Liesel«, beschwichtigt Ice H. seine Frau, als die wieder mit dem Fips-sitz-Singsang beginnt.

»Wann hast du Fips denn bekommen, Oma?«, will ich sie ablenken, doch sie scheint nicht mehr zuzuhören, sondern beginnt wieder mit dem Geschaukel, wobei ihr Blick stumpf aus dem Fenster geht.

»Sie musste den Hund in Tschechien zurücklassen, als ihre Familie nach Deutschland zwangsumgesiedelt wurde«, flüstert Ice H.

Ich blicke ihn an – einen Moment sprachlos.

Er nickt und sagt nach ein paar Sekunden leise: »Es heißt immer, die Alliierten hätten die Bevölkerung befreit, aber für manche begann erst mit ihrem Auftauchen das Leid!« Dann schweigt er und blickt auch zum Fenster hinaus.

Ich muss schlucken. Wie es wohl für mich wäre, wenn ich und Ma auf einmal aus unserer Wohnung und aus der Stadt rausmüssten? Bei dem Gedanken, mich für immer von Laser verabschieden zu müssen, verspüre ich einen brennenden Schmerz im Magen, als ob mich jemand mit einer glühenden Zigarette berührt hätte. Ob die Urgroßmutter damals in Lipová auch in einen Jungen verliebt war, den sie verlassen musste und nie wiedergesehen hat? Und wieso durften die Tschechen eigentlich so mit ihren ehemaligen Mitbewohnern umspringen? Nur weil sie Deutsche waren?

Plötzlich fällt mir Pavel ein. Vielleicht hat dessen Urgroßvater damals auch dafür gesorgt, dass Leute wie meine Uroma von heute auf morgen nur noch die Klamotten besaßen, die sie am Leib trugen. Auf einmal tut Pavel mir kein bisschen mehr leid. Damals haben die Tschechen ihre deutschen Nachbarn gedisst, heute fliegt Pavel von der Schule – schließlich hat er den Streit mit Laser provoziert. Ausgleichende Gerechtigkeit, denke ich bewusst herzlos und malträtiere verbissen das Gaspedal der alten Karre, bis der Tacho 150 zeigt und Ice H. mir einen strafenden Blick zuwirft. Aber sein Missfallen ist mir allemal lieber als der Gedanke an einen kleinen Hund namens Fips, der eines Tages allein zurückblieb und bestimmt nicht verstand, wieso niemand mehr da war, der ihn fütterte, streichelte und den Ball für ihn warf.

*

Dreieck Bayerisches Vogtland, Richtung Plauen, einfädeln, überholen, nächste Ausfahrt Richtung Dresden. Mein Urgroßvater hat offenbar endlich den Dreh mit der Straßenkarte raus. Deswegen erlaube ich mir, wieder etwas von Laser zu träumen. Während die weißen Mittelstreifen vor meinen Augen vorbeifliegen, stelle ich mir vor, dass es schäumende Wellenkämme sind. Denn natürlich würde Laser mir in den USA Wellenreiten beibringen und wir beide würden auf den Brettern stehen und zusammen in der aufspritzenden Gischt sogar noch die höchste Welle besiegen.

Nur meine Urgroßmutter, die hinten leise und mit hoher Kleinmädchenstimme singt: »Maikäfer flieg, dein Vater ist im Krieg, deine Mutter ist in Pommerland, Pommerland ist abgebrannt, Maikäfer flieg!«, stört den Strand-und-Meer-Film, der vor meinem inneren Auge abläuft.

Als wir im Osten, irgendwo zwischen Görlitz und Pirna, auf einem Parkplatz mit einbetonierten Klohäuschen halten, weil Ice H. seine Frau zur Toilette bringen muss, warte ich, bis die zwei alten Leute um die Ecke sind. Dann öffne ich die Beifahrertür und lasse die Ballons frei. Maikäfer flieg …!

Ich lege den Kopf in den Nacken und blicke der Traube gelber und roter Punkte nach, die langsam davonschweben. Genauso wie die Gedanken meiner Urgroßmutter. Wenn sie zurück zum Wagen kommt, wird sie die Luftballons nicht vermissen. Sie wird vergessen haben, dass es sie überhaupt gegeben hat. Für einen Moment wünsche ich mir, einfach zusammen mit den Ballons davonfliegen zu können. Direkt nach Amerika, zu Laser.

»süße, wo steckst du? das mit dem tausender vom alten war doch 1 witz, oder? LOL! XX nika«

»nope – wir sind kurz vor dresden. und bald: hello amerika!! XXX m.«

»endkrass – du spinnst ;) !!!!!!«

Ich stecke das Handy weg und bin nur froh, dass wir es bald nach Tschechien geschafft haben. Den Weg zurück wird Ice H. ja wohl leichter finden, sodass mich nur noch knapp zwei Tage von einem Wiedersehen mit Laser trennen. Ob ich ihn vorher anrufen oder ihn lieber überraschen soll? Ich stelle mir Lasers Gesicht vor, wenn ich auf einmal in Jeans und neuen Boots – die ich von Ice H.s Kohle noch am Flughafen gekauft habe – vor ihm stehe. Ich werde ihn einfach auf den Mund küssen, ganz easy. »Hi, ich dachte, ich schau mal auf 'nen Kaffee vorbei.«

Doch dann fällt mir ein, dass ich ja die Adresse von Lasers Dad gar nicht weiß. Schade, dann muss ich vorher doch kurz anrufen. Obwohl die Überraschung größer wäre, wenn …

»Wo ist Liesel?«, unterbricht die laute Stimme von Ice H. meine Tagträume.

»Hä?« Ich brauche einen Moment, um mich zu sammeln und von L.A. nach Ostdeutschland zurückzukehren. »Wieso? *Du* warst doch mit ihr auf dem Klo«, sage ich und sehe verwirrt, dass der alte Mann ziemlich außer Atem ist.

Bei meinen Worten schnappt er nach Luft wie ein Ertrinkender in haushohen Wellen. Sein Gesichtsausdruck wird jetzt richtig panisch. Langsam wird auch mir flau. So aufgelöst habe ich ihn noch nie erlebt. Schweißperlen treten auf seine Stirn, wo seitlich eine Ader sichtbar pocht.

Er stammelt: »Liesel … sie ist … ich hab sie nur kurz allein gelassen, weil ich auch mal austreten musste … und danach, als ich wiederkam … weg! Wo kann sie denn bloß sein?« Die letzten Worte hat er förmlich herausgebrüllt, sodass ich erschrocken zusammenzucke.

Hastig springe ich aus dem Wagen. »Los, wir gehen sie suchen. Ich nach rechts, du nach links«, kommandiere ich, bis mir einfällt, dass Ice H. mit seinem morschen Knie schlecht zu Fuß ist. Eine verschwundene Urgroßmutter *und* ein gebrochenes Urgroßvater-Bein wären das Ende. »Okay, wir gehen *beide* nach rechts«, seufze ich und er hakt sich bei mir ein.

Schwerfällig trotten wir los. Bis wir am Klohäuschen sind, ist meine Uroma schon zu Fuß über die tschechische Grenze, denke ich ungeduldig.

»Pass auf, du bleibst hier und guckst, ob Oma auftaucht. Ich such mal das Gelände ab«, erkläre ich meinem Urgroßvater mit mühsam ruhiger Stimme nach weiteren drei Schritten im Schneckentempo. Ohne eine Antwort abzuwarten, lasse ich ihn stehen und jogge los. Hastig umrunde ich das Toilettenhäuschen und gehe in den gekachelten Vorraum, wo es nach brackigem abgestandenen Wasser und Urin stinkt. Zwei Kabinen, beide mit offenen Türen. Allein vom Anblick der verdreckten Klos wird mir übel. Keine Urgroßmutter. Draußen blicke ich mich ratlos um, ehe ich langsam auf das angrenzende Waldstück zusteure. Wenn die alte Frau zwischen den Bäumen verschwunden ist, werde ich sie in der anbrechenden Dunkelheit niemals finden. Außerdem habe ich Schiss, dass ein Triebtäter zwischen den dicht an dicht stehenden Stämmen lauert. Eigentlich sehen diese kerzengeraden, dünnen Stämme alle wie Menschen aus. Mir wird mulmig.

»Oma? Hallo Oma, wo bist du denn?«

Ich merke selbst, wie dünn und atemlos meine Stimme klingt. Und im selben Moment kriege ich eine Mordswut auf die alte Frau. Kann die sich nicht verdammt noch mal ein bisschen zusammenreißen und einfach mal Ruhe geben? Schlimmer als ein Kind. Das kapiert wenigstens, wenn man ihm was verbietet. Außerdem wäre ein Knirps niemals alleine in dieses finstere Gehölz gerannt, sondern hätte sich eher in die Hose gemacht. Wie meine Uroma, schießt es mir durch den Kopf – und ich komme mir im selben Moment schäbig und gemein vor. Sie nässt ja wohl nicht absichtlich ein und ist nicht aus Bösartigkeit weggelaufen. Wahrscheinlich ist sie genauso verängstigt wie ein kleines Kind, weil sie sich nicht mehr zurechtfindet. Weder im Wald noch in ihrem Kopf und schon gar nicht in ihrem Leben. Ich atme einmal tief durch und renne los – mitten rein ins finstere Gehölz.

»Ooooma! Wo bist du?«

*

Als ich schon drauf und dran bin, per Handy die Polizei zu rufen, sehe ich unter einem Nadelbaum, dessen Äste düster, kahl und tot wie ein schwarz verbrannter Baum aus einem bösen Märchen in den Nachthimmel ragen, ein Bündel. Mit angehaltenem Atem schleiche ich näher. Was, wenn es jemand ist, der plötzlich aufspringt, um mich zu packen? Bei dem Gedanken fühlen sich meine Beine plötzlich an, als hätte ich sie in Eiswasser getaucht. Mit heftig pochendem Herzen mache ich einen Schritt rückwärts. Da knackt ein dürrer Ast unter meinem Fuß und die Gestalt hebt den Kopf. Wirre Haare, die sich aus dem Dutt gelöst haben, und eine verrutschte Brille – ich atme auf. Kein Mörder, sondern meine Uroma. Wie ein Tier in der Falle sieht sie mich mit gehetztem Blick an. Um ihr nicht noch mehr Angst einzujagen, versuche ich, meiner Stimme einen fröhlichen Ton zu geben.

»Hallo Oma, da bist du ja«, sage ich möglichst beiläufig, obwohl vor Schreck und Erleichterung die Luft aus meiner Lunge entwichen ist wie aus einem kaputten Blasebalg.

»Annele, versteck dich, die Russen kommen«, flüstert die alte Frau.

Ich muss an einen Schultag vor ein paar Wochen denken. Wir standen alle in der Pausenhalle, als ein Auto draußen auf der Straße eine Fehlzündung hatte. Es knallte ordentlich und einer, wahrscheinlich Tobi, brüllte: »Die Russen kommen!« Alle lachten.

Auch ich fand den Spruch lustig. Damals. Jetzt, als ihn meine Urgroßmutter sagt, klingt er anders.

»Versteck dich, wenn du sie hörst, und mach keinen Mucks«, wispert sie und aus ihrer Stimme klingt Panik.

Wahrscheinlich glaubt sie, Annemarie – genannt Annele – vor sich zu haben, die jüngste ihrer drei Schwestern. Ich habe mal ein altes Schwarzweißfoto bei Ice H. gesehen. Darauf drei lachende Mädchen in weißen Leinenkleidern mit Lochstickerei. Die dunklen Haare geflochten und zu einer Krone um den Kopf gelegt: Liesel, Annemarie und die mittlere Schwester, die noch während des Kriegs am Fieber starb – ihren Namen habe ich vergessen. Genau wie meine Urgroßmutter vergessen hat, dass ihre eine Schwester schon seit 1944 tot ist, dass Annele vor zwanzig Jahren starb und dass der Krieg schon dreimal so lange vorbei ist.

»Komm, Oma, wir gehen zum Auto. Dein Herri wartet schon auf dich«, sage ich aufmunternd. Beim Namen ihres Mannes geht ein Lächeln über ihr Gesicht.

»Herri, ja«, sagt sie und ich strecke ihr behutsam die Hand entgegen, die sie zu meiner Erleichterung ergreift. Ich helfe ihr auf die Beine und lächle sie an. Mit leeren Augen lächelt sie zurück.

Doch gleich darauf verzieht sich das faltige Gesicht, als wolle sie weinen. Dabei murmelt sie etwas. Ich muss mich vorbeugen, um sie zu hören.

»Die Führer mit den Litzen siegen, wenn wir daheim in Sitzen liegen. Es muss wohl am Entsetzen liegen, wenn Leute, die verletzen, siegen«*, flüstert die alte Frau und kichert hohl, während gleichzeitig eine Träne über ihre Wange rollt.

Die Sache wird mir jetzt wirklich unheimlich. Irgendwie muss ich sie zu Ice H. und zum Auto zurücklotsen. Schritt für Schritt und mit viel gutem Zureden gelingt es mir, meine Urgroßmutter

---

* *Rehm, Jürgen: Wenn dich deine Plagen kratzen – Geschüttelte Reime. Norderstedt: Books on Demand 2002, S. 101.*

aus dem Waldstück zu locken. Währenddessen plappert sie beständig vor sich hin, aber die Worte ergeben keinen Sinn.

»Man muss doch mal was sagen. Aber die Wäsche wird ja nicht mehr richtig sauber. Und Seife gibt's nicht mal mehr auf Marken. Überall der Staub. Da sind die selber schuld.«

So geht es die ganze Zeit. Ich bin heilfroh, als wir endlich den Parkplatz erreichen. Ice H. lehnt – schwer auf seinen Stock gestützt – an der geöffneten Autotür. Als er uns aus dem Waldstück kommen sieht, hinkt er, so schnell es sein steifes Knie erlaubt, auf uns zu.

»Liesel, da bist du ja! Ich hab mir solche Sorgen gemacht«, ruft er und ich sehe gerührt, wie er die alte Frau vorsichtig umarmt, so als sei sie aus dünnem, kostbarem Porzellan und könnte bei jedem zu festen Griff zerbrechen.

＊

Die Urgroßmutter ist auf dem Rücksitz eingeschlafen. Ice H. ist so still, dass ich zuerst glaube, auch ihm wären die Augen zugefallen, doch als ich in den Rückspiegel gucke, begegne ich seinem Blick. Die Falten um seinen Mund erscheinen mir tiefer als heute Morgen, aber die Augen des alten Mannes wirken wach. Ich beschließe, es wäre vielleicht ein günstiger Zeitpunkt, ein oder zwei Fragen zu stellen.

»Du Urgroßvater …«, beginne ich, aber dann weiß ich plötzlich nicht mehr, wie ich meine Frage formulieren soll, ohne dass er mir wieder mit seinem ewigen »Man soll die Vergangenheit ruhen lassen« über den Mund fährt.

Doch er hat seine Aufmerksamkeit auf mich gerichtet und jetzt ist es zu spät, um nichts zu sagen.

»Als ich Oma gefunden habe, da hat sie mich für ihre Schwester Annele gehalten. Und sie hatte Angst vor den Russen. Weißt du warum?«

Ice H. schweigt und sieht aus dem Fenster. Gerade als ich sicher bin, er wird meine Frage ignorieren, seufzt er und erklärt leise: »Ihr Gedächtnis spielt ihr Streiche. Mal ist sie ganz klar im Kopf und manchmal glaubt sie, wir haben das Jahr 1950 – oder noch früher. Das ist ein Teil ihres ...«, er stoppt, »... ihres momentanen *Problems*.«

Ich weiß nicht, ob er mich absichtlich missverstanden hat, aber ich bin nicht bereit, jetzt lockerzulassen. »Ich meine, warum hat sie Angst vor den Russen?«

Wieder schweigt er und ich warte geduldig ab.

Schließlich sagt er: »Die Russen sind damals in Lipová einmarschiert und haben ziemlich viel zerstört. Wer sich weigerte, sein Haus zu verlassen oder Lebensmittel herzugeben, wurde misshandelt.«

Ich versuche, mir die damalige Situation vorzustellen: von heute auf morgen raus aus dem Haus, ohne Möbel, Klamotten und was zu essen auf der Straße zu stehen. Aber es gelingt mir nicht.

»Haben sie das mit dir und deiner Familie auch so gemacht?«, traue ich mich schließlich weiter zu fragen.

Er zögert, ehe er den Kopf schüttelt. »Meine Eltern kamen glimpflich davon. Die Amerikaner sind ins Dorf einmarschiert, aber meine Familie hat den Krieg ohne größere Schäden überlebt. Ich wurde '41 zur Wehrmacht eingezogen und war dann ... ziemlich lange nicht zu Hause«, sagt er tonlos und seine Lippen werden vor Anspannung zu einem dünnen Strich.

Ich erinnere mich, dass es vor ein paar Jahren wegen einer Ausstellung, die die Verbrechen der Wehrmacht aufzeigte, ziemlichen Wirbel gab.

Doch mein Urgroßvater unterbricht meinen Gedanken. »Deutschland wollte damals alle waffenfähigen Männer für die Eroberung von ›Lebensraum im Osten‹ einsetzen«, sagt er und so wie er die Wörter betont, klingen sie bitter, als hätte er einen üblen Geschmack im Mund.

»Und was war mit dir?« Ich hoffe, dass er jetzt nicht wieder kneift und endlich mal ein bisschen was von damals erzählt.

Ice H. sieht immer noch aus dem Fenster, als er mechanisch antwortet: »Ich war an der Ostfront. Anfang '45 stand es schlecht, wir mussten uns immer weiter zurückziehen. In den Dörfern, durch die wir kamen, waren ausgebrannte und zerbombte Häuser. Und dann kam uns dieser Wagen entgegen ... mit sechs Russen. Einer von ihnen sah mir direkt in die Augen.« Er bricht ab und scheint nachzudenken.

Vorsichtig bohre ich nach: »Und was habt ihr gemacht?«

Er schreckt leicht hoch. Seine Stimme wird höher, bekommt einen stählernen Ton, als er sagt: »Was hätten wir tun sollen? Wir haben die Russen ... nun, wir haben sie *weggemacht*. Und dann sind wir weitergezogen.«

Meine Hände umspannen das Lenkrad so fest, dass meine Knöchel weiß werden. Ich kann es nicht fassen. »Weggemacht« soll wohl heißen: totgeschossen, die russischen Soldaten niedergemäht, in die Luft gejagt. Andererseits wäre dasselbe wohl mit Ice H. passiert, wären die Russen schneller gewesen. Sein Leben oder ihres – was für ein schrecklicher Moment der Entscheidung.

»Und wie lange warst du dann von zu Hause weg?«, frage ich.

»Bis 1948. In Kriegsgefangenschaft«, antwortet er knapp.

Drei Jahre, rechne ich nach. Erst Soldat, dann Gefangener. Drei Jahre weg von den Eltern, von Freunden und Geschwistern, sofern sie überhaupt noch lebten. Eigentlich will ich mir das nicht vorstellen und bereue, überhaupt gefragt zu haben. Denn plötzlich erscheint ein anderes Bild von meinem Urgroßvater vor meinen Augen. Ein Bild, auf dem ein junger Soldat auf einen russischen Wagen schießt, bis der aufhört, auf ihn und seine Kameraden zuzufahren. Keine Reue, nur Todesangst. Und später die Erleichterung, nicht derjenige zu sein, den die Maschinengewehrsalve erwischt hat. Keine Zeit zum Nachdenken, weiter marschieren und bereit sein, auch die nächsten Russen »wegzumachen«.

Ich starre so krampfhaft auf die Straße, dass meine Augen vor Anstrengung tränen. Als er erneut den Mund aufmacht, will ich nicht noch mehr hören, ich kann es nicht ertragen.

Aber Urgroßvater sagt mit seiner normalen Stimme: »Mach doch mal das Radio an. Ich wüsste gern, wie Bayern gegen Leverkusen gespielt hat!«

*

Die Irrfahrt, der ungeplante Alleingang meiner Urgroßmutter und die bislang geheim gehaltenen Kriegserlebnisse haben mich total geschafft. Ich habe Angst, gleich am Steuer einzupennen. Auch Ice H. sieht mindestens wie hundert aus. Als die Leuchtreklame eines Billighotels an der Autobahn auftaucht, beschließt er, dass es für heute genug ist. Zwar wollten wir am Abend eigentlich schon in Tschechien sein, aber nun ist es mir egal, ob ich in einem deutschen oder tschechischen Bett liege. Vor allem, weil mein Urgroßvater mein Einzelzimmer ohne Murren zahlt. Er und seine Frau beziehen ein Doppelzimmer ein paar Türen weiter.

Als ich die dunkelbraune, leicht abgeschrammte Zimmertür hinter mir schließe, verspüre ich Erleichterung. Darüber, endlich alleine und dem wirren Geplapper meiner Urgroßmutter entkommen zu sein. Und ich bin froh, dass wir es bis hierher geschafft haben. Rücklings lasse ich mich aufs Bett fallen. Mir ist sogar egal, dass ich in meinem getragenen T-Shirt übernachten muss, weil ich natürlich keinerlei Klamotten dabeihabe. Aber dadurch kriegt dieser Trip noch mehr einen Anstrich von Abenteuer. Fast komme ich mir vor, als wäre *ich* ausgebüxt und nicht meine Uroma.

Beim Gedanken an das Gesicht, das meine Mutter gemacht haben dürfte, als sie vorhin von Ice H. einen Anruf gekriegt hat, muss ich grinsen. Energisch hatte ich ihm mein Handy in die Hand gedrückt. Der hatte das kleine, blinkende Ding misstrauisch gemustert, während ich per Kurzwahl Mas Nummer anwählte. Als sie sich meldete, schrie er ins Telefon, als müsse er persönlich die Entfernung von Ostdeutschland zu meiner Mutter überbrücken. Ich schätze, sie kam nicht wirklich zu Wort. Der alte Mann erklärte ihr in seinem üblichen Kommandoton, dass wir mit der Urgroßmutter nach Tschechien fahren. Ja, er weiß, was er tut. Ja, morgen sind wir wieder zurück und nein, es war nicht meine Idee, sondern ausdrücklich sein Plan. Er wolle seiner Frau ihren sehnlichsten Wunsch erfüllen, ehe er sterben müsse. Dann gab Ice H. mir das Telefon. Ich sagte nur hastig: »Ich glaub, jetzt geht das Netz weg« und legte auf. Anschließend schaltete ich das Handy aus – sicher ist sicher. Als ich aufsah, begegnete ich dem Blick des alten Mannes. Zu meiner Verblüffung zwinkerte er mir komplizenhaft zu. Ich musste lachen, weil er plötzlich aussah wie ein kleiner Junge, der gerade seine strenge Lehrerin richtig verarscht hatte.

»Nach Tschechien, ehe du sterben musst. Du ziehst aber auch alle Register, was?«, fragte ich kopfschüttelnd.

Doch er verzog keine Miene. »Wer weiß, wann der Herr mich holt.« Und belehrend fügte er hinzu: »Wir haben uns nicht ausgesucht, wann wir auf die Welt kommen, und wir suchen es uns nicht aus, wann wir gehen müssen. Es liegt alles in *seiner* Hand.« Da war er wieder: der Hundert-Prozent-Katholik.

Und ehe mein Verstand mir den Mund verbieten konnte, rutschte mir heraus: »Ach was, so bald lässt dich der Herrgott nicht abtreten! Nur die Guten sterben jung.«

Im selben Moment wurde mir klar, wie unverschämt ich war. Kleinlaut zog ich den Kopf ein und riskierte einen Blick in den Rückspiegel. Um Ice H.s Augen hatten sich Lachfältchen gebildet, zahlreich wie die Falten einer Ziehharmonika.

»Tja, dann müsste ich ja eigentlich noch viel Zeit haben«, konterte er und zwinkerte erneut.

17 Jahre hatte ich nicht mal einen Anflug von Humor bei ihm festgestellt – und jetzt zwinkerte er zweimal innerhalb von fünf Minuten?

Sowieso bin ich total verblüfft, wie cool er sein kann. Innerhalb eines Tages habe ich Seiten an meinem Urgroßvater kennengelernt, die ich in meinem ganzen Leben noch nicht an ihm gesehen habe. Und von denen ich bisher nicht glaubte, dass er sie besitzt: Humor, Fürsorglichkeit und ein Verständnis für seine Urenkelin.

Ich muss daran denken, wie er mir vorhin eine gute Nacht gewünscht hat: Seine Liesel an der Hand, hatte er schon den Zimmerschlüssel im Schloss umgedreht.

»Nacht, ihr zwei«, sagte ich und ging den Flur entlang.

»Gute Nacht, Motte«, erwiderte er und fügte hinzu: »Und träume süß …«

»… von sauren Gurken«, ergänzte meine Uroma.

Als ich mich umdrehte, sah ich die beiden alten Leutchen Hand in Hand lächelnd vor ihrer Zimmertür stehen.

Bei der Erinnerung daran muss ich schlucken. Gegen meinen Willen rühren sie mich – in einer Ecke meines Herzens. Mehr noch, plötzlich bin ich fast froh, dass *ich* es bin, die es Ice H. ermöglicht, seine Frau in ihre Heimat zu bringen.

Ehe ich schmelze wie Vanilleeis unter heißer Schokoladensoße, befehle ich mir, an etwas anderes zu denken. Zum Beispiel an Laser. Und an unsere gemeinsamen Ferien in den USA.

Doch immer wieder schieben sich zwischen meine Träume von Strand, Sonne und Laser andere Bilder: die Urgroßmutter, die im Wald kauert und sich vor den Russen fürchtet. Als ich Ice H. von ihrem seltsamen Gedicht im Wald erzählt habe, hat er geschwiegen. Ich dachte schon, er wäre sauer. Doch plötzlich hat er mir die Hand auf die Schulter gelegt und leise gesagt: »Im Luftschutzkeller haben Liesel und ihre Schwestern immer Gedichte und Schüttelreime aufgesagt. Gegen die Angst, als die Bomben gefallen sind.«

Sofort habe ich wieder das Bild der drei Mädchen in ihren weißen, bestickten Kleidern vor Augen, wie sie eng zusammengekauert in einem dunklen Raum tief unter der Erde hocken, während das Grollen der Flugzeugmotoren und der Knall von Explosionen die Luft zerfetzen. Jetzt, im Bett dieses trostlosen Motels im Nirgendwo, versuche ich mir vorzustellen, wie das gewesen sein muss. Damals, als alles, an das die Menschen bisher geglaubt, auf was sie gehofft hatten, zerbrach. Aus den Geschichtsstunden weiß ich, dass die Alliierten nicht besonders freundlich mit der deutschen Bevölkerung umgesprungen sind. Kein Wunder bei dem, was Hitler angerichtet hatte. Ich überlege, wie ich drauf wäre, wenn ich Leuten begegnen würde, die tatenlos zugesehen haben, wie unzählige Juden und Andersdenkende verschwanden. Als die Klasse damals bei der Schubert die Schwarzweißbilder der letzten Überlebenden aus den KZs Dachau und Auschwitz gesehen hat, konnte ich es nicht fassen: Die Leute waren nicht mehr als Skelette auf zwei Beinen in gestreiften Schlafanzügen mit ausgezehrten Gesichtern und riesigen Augen. Wie kann man einem anderen Menschen so was antun? Sich selber den Wanst voll hauen, wenn nebenan andere in eiskalten, verlausten Baracken hausen? Frauen, Kinder, Alte in die Gaskammer treiben, obwohl man weiß, was dort auf sie wartet? Die Leute müssen doch geahnt haben, was in den Lagern passierte. Die Schubert hat damals versucht, es uns zu erklären: dass die Deutschen durch Hitler und seine Vasallen Göbbels, Himmler, Göring völlig verblendet waren. Sie haben ihren »Führer« förmlich angebetet und hätten ihn niemals infrage gestellt. Die totale Gehirnwäsche.

Ich will nicht weiter an diese schrecklichen Dinge denken, sondern versuche, wieder das Bild von mir und Laser heraufzubeschwören, wie wir Hand in Hand in den Hügeln Hollywoods sitzen. Mit Lasers Lächeln vor Augen schlafe ich schließlich ein.

*

Im Traum bin ich wieder in der Turnhalle unserer Schule, während die Party läuft. Laser steht am DJ-Pult. Doch als er eine CD einschiebt, bemerke ich die Hakenkreuz-Binde an seinem Oberarm. Auch meine Mitschüler tragen braune Uniformen und am linken Oberarm das NS-Symbol. Nur Pavel, der in der Mitte steht, ist anders gekleidet: Er trägt einen gestreiften Schlafanzug.

Laser beugt sich zum Mikro und ruft: »Wollt ihr'n Wunschkonzert?«

»Neiiin«, schallt es zurück.

»Was wollt ihr dann?«, brüllt Laser und das Lachen verzerrt sein Gesicht.

Alle heben die Hand zum Hitlergruß und brüllen: »Polen-Pavel, Polen-Pavel!«

Dann kommt Vogel rein, seine Beine stecken in kniehohen schwarzen Stiefeln, was allerdings nicht lächerlich, sondern zum Fürchten aussieht. Er packt Pavel am Arm und zischt, dass die Spucke fliegt: »Mitkommen, Freundchen!« Er zerrt Pavel mit sich.

Ich wende mich an Tobi, der neben mir steht, und frage: »Wo bringt der Vogel Pavel denn hin?«

Tobi blickt mich spöttisch an und lacht: »Na, zum Duschen. Wohin denn sonst!?«

Ich will Vogel nach, will ihm sagen, dass er Pavel nicht ins Gas schicken darf. Denn Pavel hat nichts getan und der Krieg ist doch schon lange vorbei. Doch als ich mich umdrehe, bin ich plötzlich im Geräteraum der Turnhalle eingesperrt. Panisch will ich flüchten, aber als ich mich umdrehe, pralle ich gegen jemanden. Blondes Haar, blaue Augen: Laser. Der drückt mich rücklings auf einen Stapel Turnmatten und küsst mich hart auf den Mund.

»Zu spät, Marie«, sagt er, die Augen kalt wie ein Neonscheinwerfer. »Polen-Pavel ist erledigt.«

Mit einem lauten Schrei wache ich auf.

Kapitel 6

Lipová

Beim lauwarmen, dünnen Kaffee aus dem Automaten im Vorraum des Motels versuche ich, den Traum von vergangener Nacht, so gut es geht, zu vergessen. Mir kommt – im hellen Tageslicht – die »Mission Urgroßmutter« hirnverbrannt vor. Und obwohl ich immer noch nichts lieber tun würde, als zu Laser in die USA zu fliegen, traue ich mich, Zweifel über den Sinn dieser Fahrt zu äußern. Doch Ice H., der gerade damit beschäftigt ist, seine Frau wenigstens zu einer halben Scheibe geschmacklosen Toastbrotes zu überreden, wischt meine Bedenken unwirsch beiseite.

»Die Ärzte haben doch gesagt, dass es Liesel guttut, wenn man ihr Dinge aus der Vergangenheit zeigt. Das stimuliert irgendwelche Hirnregionen, sodass ihr Gedächtnis aufgefrischt wird. Und wenn sie direkt am Ort ihrer Kindheit ist, vielleicht wird sie dann wieder ganz die Alte.«

Ich beiße mir auf die Lippen, denn ich glaube nicht daran.

Doch der alte Mann ist nicht zu bremsen. »Warte, ich zeig es dir«, sagt er und kramt in seiner uralten Tasche, die aussieht, als hätte sie schon die K.-u.-k.-Zeit erlebt. Ächzend zieht er schließlich ein kleines, längliches Fotoalbum heraus. Braun-beiges Streifenmuster ziert den Kunststoffeinband, die Seiten sind aus schwarzem, dickem Fotokarton. »Ich soll doch ins Heim immer alte Fotos mitbringen«, erklärt er und schlägt die erste Seite auf.

Er schiebt das Album zur Urgroßmutter hinüber. »Liesel, was ist das?«, fragt er und deutet auf drei Mädchen, die in Tweedröcken und Pullovern unter Obstbäumen posieren, die Füße stecken in dicken Strümpfen und Riemchenschuhen. Die Szene – sepiagefärbt – stammt aus einer anderen Zeit, aus einem anderen Leben.

»Liesel, Hanne und Annele im Garten«, kommt ihre Antwort wie aus der Pistole geschossen.

Jetzt weiß ich endlich, wie die mittlere Schwester hieß.

Dann zeigt die alte Frau auf einen Punkt hinter den Mädchen. »Fips.«

Verblüfft gehe ich mit dem Gesicht ganz nah an das Bild. Und tatsächlich: Halb hinter einem Baum versteckt, lugt ein struppiger Hundekopf hervor. Ice H. wirft mir einen triumphierenden Blick zu und blättert die Seite aus schwarzem Tonpapier um.

»Mama und Papa und Oma Heidemarie in der Küche. Eintopf«, sagt die Urgroßmutter und deutet auf den Herd im Hintergrund, auf dem ein großer Topf steht. Ihre Augen strahlen.

»Wann war das?«, frage ich interessiert, denn es steht keine Jahreszahl unter den Bildern. Der Kleidung nach müssen es die Zwanzigerjahre gewesen sein.

»Vorgestern«, kommt die prompte Antwort.

Ich sehe von dem Foto hoch. Soll das ein Witz sein? Doch ihre Miene ist ernst und konzentriert. Mein Blick wandert zu Ice H., der klappt hastig das Album zu, und ehe ich ein Aber einwerfen kann, schneidet er mir das Wort ab. »Du siehst, sie erinnert sich«, sagt er kurz angebunden und drängt dann zum Aufbruch.

Vor meinem inneren Auge die drei Mädchen, in meinem Kopf lauter Fragen, folge ich den beiden alten Leuten zum Wagen. Der Kilometerzähler läuft und lässt die Distanz zwischen Vergangenheit und Heute weiter schrumpfen.

*

»Ausfahrt 77b, Dreieck Dresden-West, A17 in Richtung Prag, dann nach Pirna/Dresden-Gorbitz einfädeln«, kommandiert Ice H. zwei Stunden später. Er hat an der Tankstelle, die an das Motel angrenzt, eine Straßenkarte für die Tschechische Republik gekauft und bringt sich nun auf den neuesten Stand, wie wir fahren müssen. Ein paar monotone Straßenkilometer weiter rauschen wir an einem Schild vorbei, das besagt: »Sie sind jetzt in der Tschechischen Republik!«

Vor ein paar Jahren habe ich mal einen alten Film gesehen, der in Ungarn spielte. *Ich denke oft an Piroschka* oder so ähnlich hieß er. An die Handlung kann ich mich nicht mehr richtig erinnern, irgendeine Romanze zwischen einem deutschen Studenten und einer Ungarin. Im Film hüteten niedliche Mädchen mit Zöpfen Gänse und es gab alte Männer mit Rauschebart, die den ganzen Tag lang nur sangen und lachten, während sie auf endlos grünen Wiesen ihre Schafe grasen ließen. Und abends aßen alle am Lagerfeuer irgendwelche scharfen Paprikasoßen mit einer Menge Fleischbrocken drin, tanzten und hatten Spaß. So ähnlich habe ich mir Tschechien bisher vorgestellt. Dass die Zeit dort stehen geblieben ist und die Leute noch selbst Brot backen und abends auf der Geige und Ziehharmonika schwungvolle Lieder spielen.

Doch die Straßen, durch die wir fahren, sind leer. Zwei zerzauste Hühner picken im Staub am Straßenrand. Menschen kriegen wir in diesem Grenzland nicht zu Gesicht. Die Schlaglöcher in der Straße sind zahlreicher als die Gebäude in diesen Ortschaften, die nur aus einem halben Dutzend Häuser entlang der holprigen Straße bestehen. Ob hier niemand mehr wohnt oder sich die Leute in ihren Häusern verschanzt haben? Kaum vorstellbar, dass jemand freiwillig in diesen trostlosen Buden hockt, von denen Verputz an vielen Stellen bröckelt, deren Fassaden ein schmutziges Graubraun tragen. Bei manchen Häusern ist keine der trüben Scheiben mehr heil, wie tote Augen starren die kaputten Fenster auf die Straße.

Blinde, die nichts sehen können und vielleicht auch nichts mehr sehen wollen. In den Gebäuden ist schon lange kein Leben mehr.

Ice H. guckt sich um und mustert mit schmalen Augen und verkniffenem Mund die Trostlosigkeit rechts und links von uns. »Alles hat er kaputt gemacht, der Iwan!«, knurrt er und ich sehe verblüfft Unversöhnlichkeit in seinem Gesicht.

Trotzdem habe ich das Gefühl, er würde es sich zu einfach machen, und ich kann mir nicht verkneifen, ihn etwas von oben herab zu belehren: »Na, hör mal – *ihr* habt schließlich den Krieg angefangen!«

»Nee!« Ice H. schnappt wie eine bissige Schildkröte. »*Das* war der Führer!«

Zum hundertsten Mal verdrehe ich die Augen und beschließe wieder mal, nicht mehr mit ihm zu diskutieren.

*

Eine Stunde später hält er sich die Straßenkarte vor Augen, mühsam die tschechischen Ortsnamen buchstabierend. »Dem Streckenverlauf folgen bis Podmokelská, rechts halten bei Hančova, dort nach links bis Uhelná, dann bis zu den Schildern nach Česká Lípa/Benešov nad Ploučnicí.«

Mir schwirrt der Kopf, aber wie durch ein Wunder finden wir die Straßen, auf denen wir dem Heimatort meiner Urgroßmutter entgegenbrausen. Trotzdem werfe ich nervöse Blicke in den Rückspiegel. Die alte Frau kauert auf dem Sitz und schaukelt wie üblich mit leerem Blick vor und zurück. Nur manchmal, wenn Ice H. einen der tschechischen Orte ausspricht, die auf den Schildern stehen, hört sie mit dem Wippen auf und legt den Kopf schief, wobei sie konzentriert die Stirn runzelt. So als würde sie dem fernen Echo vergessener Worte lauschen.

Ich versuche, sie mir in jungen Jahren vorzustellen. Vielleicht ist sie als Mädchen hier auf der Straße mit dem Fahrrad gefahren, im weißen Leinenkleid, die dunklen Haare zu einer Krone geflochten. Ob Annele, die Jüngste, auf dem Gepäckträger gesessen hat? Dann schieben sich andere Bilder davor: eine lange Schlange aus dunkel eingemummten Gestalten, meist Frauen und Kinder. Sie sind auf dieser Straße unterwegs und schleppen auf Fahrrädern, Pferde- oder Leiterwagen einige wenige Habseligkeiten aus ihren Häusern mit – eine Karawane der Vertriebenen auf dem Weg ins Ungewisse. Ob meine Urgroßmutter außer ein paar Fotos irgendetwas Persönliches aus ihrem Zuhause mitnehmen konnte? Oder ob sie und ihre Schwestern neben Fips, dem kleinen Hund, auch alles andere zurücklassen mussten? Irgendwie stelle ich mir vor, dass ihre Erinnerungen hier in ihrem Heimatort in einem Schmuckkästchen liegen und die ganzen Jahre auf sie gewartet haben. Und jetzt muss sie nur den Deckel öffnen und darin liegen all die schönen Momente ihrer Kindheit und Jugend. Und dann würde sie sich erinnern … an alles.

»Beim Ortsschild Lipová links abbiegen«, unterbricht Ice H. triumphierend meine Gedanken. Benommen registriere ich, dass wir es geschafft haben.

Lipová ist – anders als die vorher durchfahrenen Geisterdörfer – durchaus hübsch anzusehen. Zwar gibt es einige verwilderte Flecken, doch die Häuser sind zum Großteil gepflegt und in der Mitte des Dorfplatzes plätschert ein Brunnen.

Ice H. streichelt seiner Frau behutsam über die faltige Wange und sagt lächelnd: »Liesel, wir sind da!« Als sie ihn nur verständnislos anblickt, wiederholt er eindringlich: »Du bist zu Hause – in Hainspach!«

Bei dem Namen scheint sie aus ihrem Dämmerschlaf zu erwachen, wie Dornröschen beim Kuss des Prinzen. Vielleicht hat Ice H. mit dem Ortsnamen die Dornenhecke des Vergessens durchbrochen.

Jedenfalls richtet sich die alte Frau etwas auf, steigt aus und blickt sich um, ehe sie seine Hand ergreift und ungläubig flüstert:

»Zu Hause?« Dann sieht sie mich mit ihren großen Eulenaugen an und sagt leise: »Annele, wir sind daheim!«

Ich kann nur nicken, denn das Lächeln, das über das Gesicht meiner Uroma huscht, ist so unverstellt glücklich, dass es mir den Hals zuschnürt.

Als ich aus dem Augenwinkel zu Ice H. schiele, sehe ich, dass auch er Tränen in den Augen hat. Nun bin ich wirklich nicht nah am Wasser gebaut, aber als ich meinen neunzigjährigen Urgroßvater so sehe, läuft das Nass in meinen Augen auch beinahe über die Ufer. Ehe sich noch die ganze Fahrgemeinschaft in Tränen auflöst, räuspere ich mich energisch.

»So, und wo ist jetzt das Haus?«, frage ich betont munter, um den Frosch im Hals loszuwerden.

In Ice H.s Gesicht macht sich schlagartig Ratlosigkeit breit. »Ja, das Haus … das weiß ich auch nicht so genau«, sagt er langsam.

Na super, jetzt sind wir mehr als 600 Kilometer hierher gedüst, nur damit die ganze Sache an den letzten hundert Metern scheitert? Nix da, denke ich und drehe mich um. »Also, Oma, wo hast du gewohnt?«, sage ich forsch.

Die alte Frau blickt unsicher und schweigt.

»Euer Haus, wo hat das denn gestanden?«, variiere ich meine Frage.

Doch sie beißt sich nur auf die Lippen, ihr Blick irrt nervös von mir zu ihrem Mann. Dann klopft sie sich mit den Fingerknöcheln an die Schläfe. »Meine Gedanken sind nichts mehr wert«, sagt sie leise und blickt uns entschuldigend an.

Ice H. steht da und blickt starr zu Boden. »Sie hat es vergessen«, brummt er und in seiner Stimme schwingt Resignation mit.

Das darf doch nicht wahr sein! »Meinst du, wenn wir einfach ein bisschen herumgurken, dass sie das Haus vielleicht wiedererkennt?«, mache ich noch einen Vorstoß.

Er zuckt mit den Schultern.

Sehr hilfreich, vielen Dank, denke ich bitter.

Immerhin gelingt es mir mit seiner Hilfe, die Urgroßmutter zurück ins Auto zu bugsieren. Ächzend hievt er sich mit seinem kaputten Knie, das 1945 von einer russischen Kugel getroffen wurde, ebenfalls auf die Rückbank. Dann kurven wir ziellos durch den Ort.

»Ist es hier, Oma oder da vorne?«, frage ich bei jeder kleinen Seitengasse, bei jedem dritten Haus.

Doch sie hat sich schon wieder in ihr eigenes Universum zurückgezogen und blickt nicht mal aus dem Fenster, sondern schaukelt nur mit dem Oberkörper stumm vor und zurück.

Schließlich halte ich an und steige aus. Auch Ice H. wuchtet sich aus dem Auto. Nach einer Minute quält auch sie sich vom Rücksitz und blickt erwartungsvoll von ihrem Mann zu mir. So als hätten wir mal eben einen Vergnügungstrip gemacht und gleich gäbe es noch Zuckerwatte. Mir liegt ein deftiger Fluch auf den Lippen, doch ein Blick in Ice H.s Gesicht sagt mir, dass *ihn* auszusprechen der direkte Weg zu einer erneuten Moralpredigt wäre und so atme ich einmal tief durch.

»So hat das keinen Zweck, ohne einen Tipp von Oma finden wir das verd… also das Haus nie«, sage ich.

Mein Urgroßvater steht mit den Händen in den Hosentaschen da. Ich sehe, dass er die Fäuste geballt hat. »Wenn sie es vergessen hat, können wir nichts machen«, raunt er müde.

»Aber die Ärzte haben doch gesagt, sie erinnert sich an Sachen aus ihrer Jugend«, bohre ich hartnäckig nach.

»Ich bin ja auch kein Experte, keine Ahnung, an was Liesel sich erinnert! Und die Ärzte – was wissen schon die Ärzte«, fährt er mich jetzt gereizt an.

»Und was machen wir jetzt, hä?« Pampig kann ich auch sein und gerade ist mir so richtig danach, jemanden anzumaulen. »Heißt das, ich bin 600 Kilometer gefahren total für den Ar…« Erst in letzter Sekunde kann ich mich bremsen. Ice H. hat mich mit seinem Katholikentum schon fest im Griff.

Er schnaubt nur und starrt ins Leere. Die Urgroßmutter summt derweil vor sich hin, so als ob sie das Ganze nichts anginge. Dabei sind wir nur wegen ihr hier! Am liebsten würde ich die alte Frau schütteln, bis ihr durcheinandergewürfeltes Gedächtnis die richtige Info ausspuckt. Nur der Himmel weiß, in welchem Jahr sich ihr Geist gerade befindet. Vielleicht ist es ein Sommertag ihrer Kindheit und Annele und sie kommen gerade vom Blumenpflücken …

Dieser Gedanke bringt mich auf eine Idee. Ich baue mich vor ihr auf. »Liesel, die Mutter wartet mit dem Essen! Wir müssen schnell heim, bevor sie böse wird!«, sage ich und hoffe, dass meine Stimme nicht allzu unsicher klingt.

»Was zum Kuckuck …?«, herrscht Ice H. mich an.

Doch die alte Frau hat sich schon umgedreht und wackelt zielstrebig los.

»Du fährst hinterher«, kommandiere ich und öffne ungeduldig die Fahrertür.

Ice H. sieht aus, als wäre neben ihm ein Ufo gelandet. Aber weil seine Frau unbeirrt die Dorfstraße hinunterläuft, setzt er sich hinters Steuer. »Wenn du dir einen Witz erlauben wolltest …«, sagt er drohend durchs offene Autofenster.

Ich unterbreche ihn rasch. »Gestern im Wald hat sie mich für ihre Schwester Annele gehalten. Also erinnert sie sich tatsächlich an früher. Und vielleicht finden wir so raus, wo ihr Zuhause war.«

Stumm wirft er mir einen schiefen Blick zu. Die Zweifel stehen ihm quasi auf seine Stirn geschrieben. Dennoch fährt er im Schneckentempo Urgroßmutter hinterher, die wie ferngesteuert erst geradeaus läuft, dann links abbiegt und weitergeht, bis sie schließlich vor einem hübschen Sandsteinhaus zum Stehen kommt, das in einem weitläufigen Garten steht. Die Fassade ist in einem freundlichen Gelb gestrichen, das nur ein wenig abgeblättert ist, und die Fensterläden sind aus weißem Holz. Allerdings sind sie geschlossen und der Garten vor dem Haus sieht mit seinem hohen Gras und den wild wuchernden Büschen etwas verwahrlost aus.

Ein Teil des Gartenzauns fehlt, die übrigen Latten ragen schief und teils unvollständig auf und sehen wie ein lückenhaftes Gebiss aus. Mein Blick schweift zu einem kleinen, schmiedeeisernen Balkon. Dort ist ein Schild aufgestellt: »NA PRODEJ / FOR SALE«. Das Elternhaus meiner Urgroßmutter steht offensichtlich leer und zum Verkauf. Kein Mensch ist auf der Straße.

»Das ist *die* Gelegenheit«, behaupte ich kühn und zupfe Ice H., der gerade aus dem Wagen aussteigt, am Ellenbogen. »Los, wir gehen rein!«

»Bist du narrisch geworden?«, entfährt es dem entsetzten alten Mann.

Ich warte seine Antwort gar nicht ab, sondern nehme meine Urgroßmutter an der Hand. »Komm, Oma.«

Sie folgt mir bereitwillig durchs ungemähte Gras, das das Wiesenschaumkraut zartlila leuchten lässt.

Ice H. packt mich am Arm. »Das dürfen wir nicht«, sagt er beschwörend.

Doch ich habe keine Lust auf kritische Stimmen. Schon gar nicht auf die meines Urgroßvaters, der die Sache hier ins Rollen gebracht hat. »Wolltest *du* nicht, dass sich Oma wieder erinnert? Damit sie nicht mehr ins Heim muss und ihr wieder zusammenleben könnt? Also? ... Dann gehen wir jetzt da rein«, zische ich, um meine eigene Furcht zu überspielen.

Zu meiner Verblüffung folgt er mir nun ohne Protest.

Natürlich ist die Haustür verschlossen.

»Keiner da«, kräht Urgroßmutter fröhlich mit einer hohen Kinderstimme, die mich zusammenzucken lässt, weil sie so fremd klingt aus dem faltigen Mund der 88-Jährigen.

Während ich noch überlege, was wir tun sollen, wühlt sie mit spitzen Fingern in zwei leeren Blumentöpfen. »Hast wieder den Schlüssel nicht druntergetan, Annele«, sagt sie tadelnd zu mir und stapft kopfschüttelnd los, wobei sie vor sich hin murmelt.

Ich beeile mich, ihr zu folgen.

»Marie …«, beginnt Ice H. warnend.

Aber ich ignoriere ihn geflissentlich. Die Neugierde, was die alte Frau wohl als Nächstes tun wird, treibt mich an, ihr zu folgen. Als wir um die Hausecke biegen, sehe ich sie zielstrebig auf eine Treppe zusteuern, die an der hinteren Hauswand in eine Art Schacht führt. Schnell springe ich meiner Urgroßmutter nach und greife ihr unter die Arme, was sie gar nicht zu merken scheint. Hinter mir höre ich Urgroßvater leise vor sich hin schimpfen, während er sich am verrosteten Treppengeländer festhält und mühsam eine Stufe nach der anderen hinunterhinkt.

Unten angekommen, stehen wir vor einer Kellertür, deren graue Farbe an vielen Stellen abgeplatzt ist, sodass es aussieht, als sei die Tür mit narbigen Kratern überzogen. Nun steht Urgroßmutter stumm und mit hängenden Armen da – so als wären ihre Batterien auf einen Schlag leer. Probeweise rüttle ich am rostigen Türgriff – und halte zu meinem Schrecken gleich darauf die ganze Klinke in der Hand. Quietschend schwingt die Tür auf.

»Dass wir Hausfriedensbruch begehen, ist dir schon klar!?«, zischt Ice H., der es auch endlich nach unten geschafft hat und nun anklagend auf die lose Türklinke in meiner Hand starrt.

Bevor ich irgendwas zu meiner Verteidigung sagen kann, schiebt meine Urgroßmutter ihren Mann ungeduldig beiseite. »Das Essen wird kalt«, sagt sie und marschiert an uns vorbei in den Keller.

»Äh, Oma … ich weiß nicht, ob das wirklich so 'ne tolle Idee ist …«, setze ich an, aber sie ist schon durch die Tür ins Innere verschwunden.

»Na, großartig«, seufzt Ice H. resigniert, ehe er folgt.

Ich muss schlucken. Auf einmal habe ich tierisch Schiss, durch diese Tür zu gehen. Schließlich weiß keiner, was uns da drin erwartet. Es könnte ein Penner sein, aber auch eine Gruppe Verrückter, ein Drogenlager, ein Vampirnest … In diesem Moment wünsche ich mir nichts sehnlicher als Laser an meiner Seite. Mit ihm zusammen wäre der Gang durch das fremde, leerstehende

Haus ein Klacks. Doch Laser ist bei seinem Stuntmanvater in den USA und ich stehe mutterseelenallein in Tschechien vor der Kellertür eines Geisterhauses.

Schließlich gebe ich mir einen Ruck und quetsche mich ebenfalls durch den Eingang. Egal, was kommt, ich kann die zwei alten Leutchen jetzt nicht im Stich lassen. Schließlich war es meine Idee, hier einzubrechen. Aber ich werde so etwas nie wieder tun, schwöre ich mir, während ich im fahlen Licht, das durch die verstaubten schmalen Kellerfenster fällt, den verschwommenen Silhouetten der beiden Alten folge. Als würde ich zwei Gespenstern hinterherjagen, die sich jeden Moment in Luft auflösen könnten.

Doch meine Urgroßmutter scheint ganz genau zu wissen, wo es langgeht, denn ohne Zögern biegt sie um die Ecke und geht dorthin, wo eine Treppe wieder nach oben führt. Gefolgt von Ice H., der ächzend die knarrenden Stufen erklimmt, stiefelt sie voran und öffnet, ohne zu zögern, eine schmale Holztür. Hastig gehe ich hinterher und sehe, dass wir es tatsächlich geschafft haben: Wir stehen im Erdgeschoss des Hauses.

Eigentlich rechne ich damit, dass jeden Moment etwas passiert: Ein wütender Mensch wird auftauchen, der uns drei zusammenfaltet, einen Dobermann auf uns hetzt, die Polizei holt …

Doch alles ist still. Vorsichtig blicke ich mich um. Das Haus steht wohl schon seit geraumer Zeit leer. An den Wänden sind nur helle Flecken, wo früher offenbar Bilder hingen. Das einzige Möbelstück, das ich entdecken kann, ist eine windschiefe Kommode, auf der eine dicke Staubschicht liegt. Die Türen und Schubladen fehlen komplett. Und ich sehe vom Flur aus in einen gefliesten Raum, in dem zwei rostige Rohre aus der Wand ragen – das muss die Küche gewesen sein. Ein anderes Zimmer ist mit einem Linoleumboden ausgelegt, der an einigen Stellen weggerissen ist. Darunter kommen dunkelfleckige Holzbohlen zum Vorschein. In den Sonnenstrahlen, die durch die dicke Staubschicht auf den Fensterscheiben das Zimmer erreichen, tanzen Staubkörnchen.

Mein Blick geht zur Urgroßmutter. Die hat den Kopf schief gelegt und scheint wieder auf etwas zu lauschen. Stimmen, Worte oder Lieder, die schon lange verklungen sind. Das Schweigen scheint sich zu verdichten, es webt ein Netz wie die vielen dünnbeinigen Spinnen, die überall an der Decke und in den Ecken sitzen.

Da zerreißt Ice H.s nervöse Stimme die Stille. »Das war doch eine Schnapsidee«, donnert er. Mit einer unwirschen Handbewegung deutet er in einen der verlassenen Räume. »Da ist nichts mehr, nichts, womit Liesel was anfangen kann, woran sie sich erinnert. Wirklich eine Schnapsidee!«

Mir liegt schon eine ziemlich heftige Erwiderung auf den Lippen – *wer* wollte die alte Frau nach Tschechien bringen, *wer* wollte, dass sie sich erinnert? – , als ein dumpfes Quietschen uns veranlasst, den Kopf zu drehen. Am Fenster der Küche, das zur Rückseite des Hauses geht, steht meine Uroma und späht nach draußen. Mit der Handfläche wischt sie die dicke Schmutzschicht weg.

»Schnaps, das war sein letztes Wort, dann trugen ihn die Englein fort …«, flüstert sie und versucht, sich auf Zehenspitzen zu stellen, um besser nach draußen sehen zu können.

Ich kann mir überhaupt keinen Reim auf ihr Verhalten machen.

»Schnaps, das war sein letztes Wort …«, fängt sie wieder an.

Gerade will ich Ice H. fragen, ob er weiß, was in seine Frau gefahren ist, als ich sehe, wie er das Gesicht verzieht, als hätte er Zahnschmerzen. Der alte Mann reibt sich die Schläfen, wobei er heftig schnauft, so als wäre er ziemlich schnell gelaufen.

So langsam wird mir blümerant. Hat er einen Herzanfall oder so was? »Ist dir schlecht?«, frage ich besorgt.

Doch er schüttelt nur stumm den Kopf, wobei er nun auch aus dem Fenster sieht.

Behutsam stelle ich mich neben meine Urgroßmutter. Draußen ist nichts zu sehen, außer ein paar verkrüppelten Apfelbäumen, deren Blüten im verschwenderischen Gelbweiß die knorrigen Äste zieren. Hinter dem Obstgarten fließt ein kleiner Fluss, an dessen anderem Ufer man einen hohen, jedoch halb eingestürzten Ziegelfabrikschornstein aufragen sieht.

»Schnaps, das war …«, ertönt es erneut.

Allmählich geht mir das monotone Geflüster der alten Frau auf die Nerven. »Kann mir bitte mal jemand erklären, was hier los ist?«, frage ich in die Luft, aber natürlich ist die Frage an Ice H. gerichtet. Schließlich ist er derjenige, der seinen Verstand noch einigermaßen zusammen hat – hoffe ich jedenfalls.

Zuerst sieht es so aus, als würde er keine Antwort geben – oder geben wollen. Er setzt ein paar Mal an, etwas zu sagen, schüttelt dann aber nur den Kopf.

Stumm warte ich ab.

Endlich weist er mit dem Kopf nach draußen. »Siehst du diesen Schornstein da? Das war die alte Schnapsfabrik von Lipová. Als der Krieg verloren war, haben die Bewohner die Tore aufgebrochen und den ganzen Schnaps weggeschüttet. In den Bach, den du hier siehst. Liesel hat mir mal davon erzählt. Sie weiß noch, wie sie am Fenster stand – genau hier, wo wir jetzt auch stehen – und nach draußen sah. Sie sagte, dass der Bach die ganze Nacht rosarotes Wasser geführt hätte. Von den alkoholischen Getränken, verstehst du? Und daran erinnert sie sich jetzt.«

Ich bin verwirrt. Das war alles? Nur weil ein Bach mal rosa war, macht der Urgroßvater so einen Zirkus? »Aber warum haben die Leute das denn gemacht?«, wage ich zu fragen. So ganz ist mir noch nicht klar, was das mit dem Ende des Krieges zu tun hatte. »Wollten die vermeiden, dass sich das ganze Dorf besäuft, oder was?«

Ice H. blickt mich nicht an, als er den Kopf schüttelt. »Die Dorfbewohner wollten verhindern, dass die einmarschierenden Russen sich über den Alkohol hermachen.«

Jetzt kapiere ich. Clever von den Dorfbewohnern, denn dass eine betrunkene Truppe noch unangenehmer ist als eine nüchterne, liegt auf der Hand. Womöglich hätten die Soldaten dann nur aus Spaß die Dörfler abgeknallt oder deren Häuser angezündet. Leicht beschämt erinnere ich mich, mit Nika mal nach ein paar Wodka-Redbull »Klingelteufel« gespielt zu haben. Um zwei Uhr nachts haben wir wahllos an irgendwelchen Häusern und Wohnungen die Klingelknöpfe gedrückt. Dass wir damit Leute aus dem Tiefschlaf geholt und womöglich halb zu Tode erschreckt haben, ist mir erst viel später klar geworden. Denn damals war es für Nika und mich einfach nur ein Riesenspaß. Und alle, die uns unmöglich fanden, waren borniert Spießer. Im Alkoholnebel erscheinen die Dinge oft anders.

»Schnaps, das war sein letztes Wort, dann trugen ihn die Englein fort …«

Inzwischen kann ich die Zeilen mitsprechen und ich bin so genervt von den dauernden Fragen, Sätzen und Reimen, die die alte Frau zwanghaft wiederholt, dass ich kurz davor bin, ihr über den Mund zu fahren. Obwohl sie nichts dafür kann. Oder gerade deswegen.

Ice H. scheint zu ahnen, was in mir vorgeht, denn er nimmt seine Frau behutsam am Arm und zieht sie vom Fenster weg. »Komm, Liesel, setz dich ein bisschen hin, du bist schon so lange auf den Beinen«, sagt er freundlich und schiebt sie sanft, aber bestimmt aus der Küche.

Wieder im Flur angelangt, blicke ich mich um, doch nirgendwo ist ein Stuhl zu sehen. Eine steile Treppe führt in das Obergeschoss, das direkt unterm Dach liegt. Vielleicht gibt es ja dort eine Möglichkeit für meine Urgroßmutter, sich hinzusetzen. Und für Ice H., denn der sieht auch aus, als könne er nicht mehr lange aufrecht stehen. Mit einer Kopfbewegung weise ich auf die Treppe.

»Ich schau mal oben nach einem Hocker oder so was«, sage ich über die Schulter gewandt. Gerade will ich meinen Fuß auf die erste Stufe setzen, als ich plötzlich am Arm gepackt und so heftig zurückgerissen werde, dass ich stolpere und fast hinfalle.

120

Spinnt Ice H. jetzt total?, denke ich. Doch als ich den Kopf drehe, um ihm mal richtig einzuschenken, sehe ich, dass es meine Urgroßmutter ist, die meinen Arm mit eisernem Griff umklammert hält. Es fühlt sich an, als würde ich in einem Schraubstock stecken. Niemals hätte ich der gebückten, schmalen Frau eine solche Kraft zugetraut.

»Nicht da hoch!«, zischt sie, die Augen panisch aufgerissen.

»Oma, ich will dir nur einen Stuhl holen, ich bin gleich wieder da«, sage ich betont ruhig und versuche, mich behutsam aus ihrem Klammergriff zu befreien.

Doch sie packt noch fester zu und krallt ihre Finger in meinen Oberarm, sodass es langsam echt wehtut. »Annele, nein! Nicht … da … hoch!« Abgehackt und keuchend stößt sie die Worte hervor.

Nun wird mir doch mulmig. Was zum Teufel ist mit ihr los? Hilfesuchend werfe ich Ice H. einen Blick zu, aber der ist offenbar auch vom seltsamen Verhalten seiner Frau überrascht und steht verwirrt da. Erst auf meinen Blick hin setzt er sich in Bewegung und versucht vorsichtig, die Finger seiner Frau von meinem Arm zu lösen.

»Alles in Ordnung, Liesel, Marie geht doch nur hoch und schaut nach …«

Er hat noch nicht ausgeredet, als die Urgroßmutter ausholt und ihm einen Schlag verpasst, sodass er zwei Schritte zurücktaumelt.

Mir klappt der Mund auf. Meine Uroma führt sich auf wie ein wild gewordener Pavian!

»Liesel!«, ruft Ice H. und versucht, sie festzuhalten.

Doch sie ist außer Rand und Band, tritt um sich und schlägt erneut nach ihm, als er sich ihr nähern will. Noch nie habe ich jemanden so ausrasten sehen.

»Oma!«, rufe ich und hoffe, dass ich mir nicht auch was einfange, denn sie schlägt wie eine Windmühle mit fliegenden Armen um sich. »Oma, beruhig dich, ist ja alles gut! Ich bin's. Motte. Alles gut …!«

Tatsächlich scheint sich die alte Frau langsam wieder einzukriegen. Keuchend und schnaufend hört sie mit dem Gefuchtel auf. Vorsichtig nähere ich mich ihr, bereit, sofort zurückzuspringen, wenn sie Anstalten macht, zum nächsten Schwinger auszuholen.

Aber nichts passiert. Wie eine Marionette, deren Fäden durchgeschnitten wurden, steht sie mit hängenden Armen und verrutschter Brille im Zimmer und blickt verwirrt um sich.

»Wo bin ich?«, fragt sie unsicher.

»In Sicherheit«, ertönt die Stimme von Ice H. Die linke Hand auf seinen Bauch gepresst, wo ihn der Schlag erwischt hat, nähert er sich und streicht ihr mit der rechten vorsichtig das wirre Haar aus dem Gesicht.

Meine Urgroßmutter mustert ihren Mann befremdet. »Herri«, sagt sie streng, »du hast Magenschmerzen. Wie oft hab ich dir gesagt, du sollst nicht so viel essen?«

Da pruste ich los. Ich kann nicht anders. Die Situation ist einfach zu absurd. Ice H. wirft mir einen tadelnden Blick zu.

Aber ich lache und lache und kann nicht mehr aufhören. Bei mir entladen sich nun der ganze Stress und die Anspannung. Jedes Mal, wenn ich mich einigermaßen einkriege, muss ich dran denken, wie meine Uroma ihrem Mann erst einen Leberhaken verpasst und ihn dann maßregelt, weil er angeblich zu viel futtert. Mir laufen die Tränen aus den Augen und ich weiß nicht, ob ich noch lache oder schon heule, jedenfalls tut mir bald der Bauch weh. Schluchzend hole ich Luft und blicke auf die beiden Alten.

Ice H. mustert mich kopfschüttelnd, im Blick der Urgroßmutter liegt eine gewisse Nachsichtigkeit. »Gell, Lachen ist gesund«, sagt sie und nickt wissend. So als wäre ihr Ausraster zwei Minuten zuvor nicht passiert.

Ich kann mich nur darüber wundern, bis mir einfällt, dass das auch eine Folge der Demenz ist: Man vergisst, wie man sich kurz zuvor benommen hat. »Geht's wieder?«, frage ich Ice H. und deute auf seinen Magen.

»Das sollte ich wohl besser dich fragen«, gibt er trocken zurück und löst mit dieser Antwort bei mir fast einen erneuten Lachanfall aus.

Als mein Blick auf meine Uroma fällt, die wieder nach draußen starrt und sich dabei hin und her wiegt, vergeht mir das Lachen jedoch schlagartig. Welche Bilder sieht sie da draußen? Und was ist im Obergeschoss, vor dem sich die alte Frau so schrecklich fürchtet?

Kapitel 7

Das verbotene Zimmer

Wir sind im Garten. Nachdem ihr Blick auf die Apfelbäume gefallen war, hat Urgroßmutter uns freudig nach draußen gedrängt.

»Hanne und ich mögen nur die Zitronenäpfel«, sagt sie vertraulich zu mir.

»Und Annele?«, frage ich neugierig.

»Sei doch nicht albern, du magst doch keine Äpfel, sondern plünderst immer den Zwetschgenbaum«, bekomme ich die unwirsche Antwort. Offenbar hält sie mich immer noch für ihre kleine Schwester.

»Stimmt, hab ich vergessen.« Ich will vermeiden, Oma erneut in Rage zu bringen.

Sie tippt schalkhaft an meine Schläfe. »Ein Gedächtnis wie ein Sieb hast du, Annele«, verkündet sie und geht ein paar Schritte.

Verblüfft blicke ich ihr nach, bis mir einfällt, dass ihre Abwesenheit meine Möglichkeit ist, mich im Obergeschoss des Hauses mal in Ruhe umzusehen, ohne dass sie erneut ausrastet.

Behutsam setze ich meine Füße auf die ausgetretenen Stufen. Sie sind mit billigem Linoleum überzogen, das sich wellt und an einigen Stellen Risse aufweist. Am Ende der Treppe ist eine Art Vorzimmer, von dem zwei Türen nach rechts und links abgehen. Mein Herz schlägt schneller. Die Angst meiner Urgroßmutter scheint sich auf mich zu übertragen. Außerdem habe ich leider erst vor Kurzem mit Nika ein paar Horrorfilm-DVDs geguckt. Ein paar zu viel, wie ich jetzt feststelle, denn mein Herz klopft bis zum Hals. Als wäre es an einem Jojo befestigt, den ein bösartiger Kobold immer wieder vom Magen bis in die Kehle schnellen lässt. Ich schlucke trocken und befehle mir, jetzt nicht albern zu sein. Was soll in einem gottverlassenen tschechischen Dorf schon Grausiges auf mich warten? Ein Ostblockzombie, der wüste Flüche murmelt? Dem müsste ich erst mal klarmachen, dass ich gar kein Tschechisch verstehe! Ich höre mich selbst leicht hysterisch kichern, um mein lautes Herzklopfen zu übertönen.

Mit angehaltenem Atem öffne ich vorsichtig die Tür zu meiner Linken. In dem Zimmer ist … nichts. Laut atme ich aus. »Dumme Kuh«, schimpfe ich mich selbst halblaut.

Mutiger geworden, reiße ich nun die Tür zu meiner Rechten auf. Nur eine ehemals weiße, jetzt gelbstichige Frisierkommode und ein angelaufenes und fleckiges Bettgestell aus Messing, aus dessen Auflage die kaputten, rostigen Matratzenfedern wie gekrümmte Finger herausragen, stehen auf dem staubigen Dielenboden. Die alte Kommode erregt meine Aufmerksamkeit. Zwar ist der dreigeteilte Spiegel stumpf mit braunen Flecken, aber die zierlich geschwungenen Beine sehen hübsch aus. Das hier muss früher ein richtiges Mädchenzimmer gewesen sein.

Wo meine Urgroßmutter wohl damals gewohnt hat? Hier oder im anderen Raum? Hatte sie ein Zimmer für sich oder teilte sie es mit Hanne oder Annele?

Alleine in dem sonnendurchfluteten Raum erlaube ich mir, ein wenig vor mich hin zu träumen. Ich sehe mich in einem Seidenkleid mit hoher Taille und Riemchenschuhen vor der Frisierkommode sitzen und meine roten Haare mit einer Bürste kämmen, die einen Silbergriff besitzt. Wenn ich das in Wirklichkeit versuchen würde, würden sich meine Locken hartnäckig widersetzen und sich wie Putzwolle auftürmen. Aber da es ein Traum ist, fließen sie in weichen Wellen über meine Schultern. Und jetzt taucht Laser im Spiegel auf – in einem Smoking, seine blauen Augen leuchten und er tritt lächelnd hinter mich und legt seine Hände zärtlich an meinen Nacken. »Du bist wirklich wunderschön, Marie«, flüstert er.

Ich seufze sehnsüchtig und schlage die Augen auf. Hier hätte »es« passieren sollen, denke ich und sehe mich verzaubert um. Hier in diesem Raum, in dem die Sonnenstrahlen schräg durch die Dachgauben auf ein verschnörkeltes Messingbett fallen. Träge rekle ich mich und stelle mir vor, wie ich in weißen Musselinkissen versinke, während draußen der Wind die Blüten von den Apfelbäumen weht, Tauben unterm Dach gurren und es nach Lavendel duftet. Und da ist Laser, der sich über mich beugt und flüstert, dass er mich liebt …

Gerade erschauere ich wohlig, als das Zuschlagen einer Tür mich unsanft aus meiner Träumerei holt. Ich sehe nur noch mein von Rissen und Flecken durchzogenes Spiegelbild und seufze auf. Willkommen in der trostlosen Gegenwart. Wenn sich meine Uroma immer noch nicht erinnert hat, können wir die Mission als gescheitert betrachten und die Sache abbrechen. Und falls sie in der Zwischenzeit im Garten ihr Gedächtnis wiedergefunden hat, dann ist sowieso alles paletti und mein Auftrag ist erfüllt. Dann kann ich tatsächlich am Abend wieder zu Hause sein und morgen früh dank Ice H.s Kohle im Flieger nach L.A. sitzen.

In der Aussicht darauf, Laser in nicht mal zwei Tagen wiederzusehen, hüpfe ich beschwingt die Treppe hinunter. Meine Urgroßeltern stehen mit dem Rücken zu mir im Flur. Als die alte Frau meine Schritte auf der Treppe hört, fährt sie herum, ihr Gesicht verzieht sich in namenlosem Entsetzen. Ihr Mund öffnet sich zu einem Schrei: »Neiiin!«

Ich erschrecke derart bei diesem Laut, der wie der eines verwundeten Tieres klingt, dass ich beinahe die restlichen Stufen hinunterfalle. Stolpernd komme ich am Fuß der Treppe zum Stehen. Meine Urgroßmutter hat die Hände vors Gesicht geschlagen und krümmt sich wimmernd zusammen. Ice H. hält sie im Arm, sein Gesicht ist bleich vor Schreck.

Hilflos beobachte ich, wie sie sich gegen seinen Griff wehrt, wobei sie unermüdlich jammert: »Nein, nein, nein, nein.«

Mit zwei Schritten bin ich bei ihr und nehme sie sanft bei den Schultern. »Oma! Es ist alles okay. Guck mal, mir ist doch nichts passiert!«

Doch sie hat die Hände stöhnend in ihr Gesicht gekrallt und wispert panisch: »Schhh, schhh, Annele, keiner darf's erfahren. Sag es keinem, keiner Menschenseele, hörst du!«

Ich blicke zu Ice H., doch der zuckt nur ratlos mit den Schultern. Ich würde meine Uroma gern beruhigen, aber ich weiß nicht, wie. Vielleicht sollte ich ihr ein Glas Wasser holen, doch alle Anschlüsse im Haus sind tot. Da fällt mir die halb volle Flasche Wasser im Wagen ein, die wir an der letzten Tanke gekauft haben.

»Ich hole ihr was zu trinken«, sage ich hastig und bin froh, als ich durch die Terrassentür nach draußen trete.

Das morsche Haus scheint uns alle zu ersticken, mit all seinem Staub, seinen Erinnerungen und Geheimnissen. Und bei der heftigen Reaktion der alten Frau hat mich das kalte Grausen gepackt – so habe ich sie noch nie gesehen. Eigentlich ist nichts Bekanntes und Vertrautes von früher übrig. Das wäre auch nicht schlimm, denn bisher konnte ich meine Urgroßmutter nicht wirklich leiden mit ihrer spießigen Art und dem strengen, fast unfreundlichen Ton mir gegenüber. Doch jetzt habe ich das Gefühl, die alte Frau taumelt ohne Halt durchs Leben. Alles, was sie erlebt, schmilzt wie ein Stück Eis in ihrer Hand und ihre Tage versinken in einem Nebel des Vergessens. Und genau wie Ice H. kann ich nur zusehen, wie sie sich mühsam von einer Minute zur nächsten hangelt. Von alldem weiß sie nichts, sie weiß nur, *dass* sie vergisst – und ist darüber traurig.

Und auf einmal ist meine frühere Abneigung gegen sie verschwunden und hat einem anderen, warmen Gefühl in mir Platz gemacht. Genau wie sie durch die Krankheit ein anderer Mensch geworden ist.

*

Im Auto krame ich nach der Wasserflasche, als Ice H. auftaucht und im Kofferraum zu wühlen beginnt. Er fischt ein Handtuch heraus, das neben dem Verbandskasten liegt.

Auf meinen fragenden Blick seufzt er resigniert. »Liesel hat eingenässt.«

Stumm nicke ich und wünsche mir, ich hätte nicht gefragt. Aus einer gestandenen 88-jährigen Frau ist ein unsicheres, verwirrtes Kind geworden, das sich vor Angst in die Hose macht.

Zusammen kehren wir ins Haus zurück. Doch der Flur, in dem die Urgroßmutter eben noch gekauert hat, ist leer.

»Shit«, rutscht es mir raus.

Ich drehe eine schnelle Runde durch die leeren Räume im Erdgeschoss, doch nur der Hall meiner Schritte ist zu hören. Meine Urgroßmutter ist schon wieder abgehauen.

»Mensch, Ice H., hättest du nicht aufpassen können?«, fauche ich ihn an und merke erst danach, dass ich ihn mit seinem geheimen Spitznamen angesprochen habe.

Aber mein Urgroßvater scheint es gar nicht mitgekriegt zu haben. Stumm und wie aus Eis starrt er auf die Stelle, wo seine Frau zuletzt gestanden hat. Dabei sieht er aus, als würde er gleich zusammenbrechen. Auf einmal spüre ich, dass der alte Mann am Ende seiner Kräfte ist. Die lange Fahrt, die Anstrengungen, die unvermittelt auftretenden Anfälle seiner demenzkranken Frau – das alles muss ihm so zugesetzt haben, dass jetzt einfach die Luft raus ist.

Obwohl auch ich das Gefühl habe, bald nicht mehr zu können, reiße ich mich zusammen. »Weit kann Oma nicht sein, ich geh sie suchen«, versuche ich, ihn aufzumuntern.

Er lehnt, ohne zu antworten, schwer atmend an der Wand und gibt mir nur durch ein schlaffes Winken zu verstehen, dass er einverstanden ist.

Die Treppe hochzugehen spare ich mir, weil ich instinktiv weiß: Dort oben ist die Urgroßmutter garantiert nicht. Zu groß ist ihre Panik vor dem, was da oben mal war oder jetzt sein könnte. Bleibt nur der Garten.

Meine Schritte werden vom hohen Gras verschluckt, das lilafarbene Wiesenschaumkraut kitzelt meine Waden und die von den Blüten gelbweiß getupften Äste der Obstbäume verströmen ihren bittersüßen Duft. Die ganze Szenerie könnte direkt aus einem Gemälde von Claude Monet stammen, so idyllisch wirkt sie. Wenn ich nur nicht auf der Suche nach einer alten Frau ohne Gedächtnis wäre, die hier irgendwo herumirrt.

Unter einem der Bäume entdecke ich eine aus Latten gezimmerte, wacklige Bank. Dort kauert etwas Dunkles, wie damals im Wäldchen am Rastplatz. Schon will ich aufatmen, doch als ich näherkomme, zeichnen sich dort *zwei* Silhouetten ab. Mein Herz macht einen ängstlichen Hüpfer, ratlos bleibe ich stehen. Wer ist die zweite Person – oder sind es sogar zwei völlig Fremde und meine Urgroßmutter ist gar nicht im Garten? Vielleicht sind ja die Hausbesitzer gekommen und machen jetzt tierisch Ärger? Während mir noch all diese Fragen durch den Kopf schießen, erhebt sich die eine Gestalt und macht einen Schritt auf mich zu. Ich zucke zusammen, aber dann erkenne ich, dass es eine Frau ist. Eine sehr alte Frau genauer gesagt, älter als meine Urgroßmutter und vielleicht sogar älter als Ice H.

»Hallo«, sage ich zaghaft und gehe näher.

Die unbekannte Frau sagt etwas auf Tschechisch, das ich natürlich nicht verstehe. Diese Sprache ist mir so fremd wie das ganze Osteuropa. Weder der Englisch- noch der Französischunterricht nützen mir hier etwas. Mist, denke ich, und dann muss ich an Pavel denken und mir fällt auf, wie gut ich jetzt seine Hilfe gebrauchen könnte – der würde die Frau sicher verstehen und könnte mir helfen.

»Ach, und wer hilft Pavel, wenn er demnächst von der Schule fliegt. Du vielleicht?«, flüstert die wohlbekannte Stimme in meinem Inneren plötzlich gehässig.

Ich erstarre für einen Moment, dann aber schiebe ich jegliche Gedanken an Pavel und die Schulparty beiseite. Jetzt geht es erst mal darum, die ausgebüxte Urgroßmutter wieder zurückzubringen und sich dieser fremden Frau irgendwie verständlich zu machen. Die sagt wieder etwas – schnell folgen einige gerollte Rs und viele Tschs aufeinander.

Meine Uroma, die tatsächlich auf der Bank sitzt und sich wieder in sich zurückgezogen hat und vor und zurück schaukelt, hält bei den Worten inne und horcht mit abwesendem Blick und schräg gelegtem Kopf. Doch sie bleibt stumm und gibt kein Zeichen, dass sie verstanden hat, was die andere sagt.

»Äh, tut mir leid, ich verstehe Sie nicht«, sage ich hilflos zu der fremden Frau und wünsche mir, Ice H. wäre auch hier und ich müsste mich nicht allein mit meiner Urgroßmutter und einer fremden Tschechin herumschlagen.

»Ah, du sprichst deutsch«, sagt die alte Frau plötzlich und lächelt, sodass ihre Augen unter tausend Fältchen zu Schlitzen werden.

»Ja, Sie auch?« Ich bin erleichtert.

»Bisschen. Nicht gut, aber reicht … vielleicht«, erwidert die Fremde.

Mir plumpst ein Stein vom Herzen. Wenigstens versteht die Tschechin meine Sprache. Wieder schießt mir Pavel durch den Kopf, weil die Alte das R rollt und die Betonung genauso wie er setzt. Blitzartig kommt mir der Gedanke, wie es wohl für ihn am Anfang in Deutschland gewesen sein muss, als *er* kein Wort von der ihm fremden Sprache verstanden hat? Bestimmt hat er sich anfangs genauso hilflos gefühlt wie ich mich eben noch.

Die alte Frau ergreift wieder das Wort: »Habe ich gesehen, dass Leute im Garten. Bin ich rübergekommen. Finde ich Liesel hier in Garten. Ist ein bisschen … wie sagt man … durcheinander, ja?« Sie lächelt meiner Urgroßmutter zu, wobei sie kurz deren Arm drückt.

Die lächelt mit leeren Augen und schaukelt weiter vor und zurück.

Plötzlich wird mir klar, dass die Fremde Urgroßmutters Namen kennt: Sie hat sie »Liesel« genannt. »Hat sie Ihnen gesagt, wie sie heißt?«, frage ich.

»Weiß ich doch! Weiß ich längst, sind wir gewesen Nachbarn – früher!«, sagt die Alte fröhlich, wobei das »früher« wie »frieher« klingt, und streichelt meiner Uroma lächelnd über die Wange.

»Echt?« Ich bin fasziniert. Leben in diesem Dorf also tatsächlich noch Menschen, die die Familie gekannt haben. »Dann wissen Sie also alles über die Jugend meiner Uroma«, versuche ich locker das Gespräch fortzuführen.

»Ja, weiß ich«, sagt sie kurz angebunden und blickt über meinen Kopf in die Kronen der Apfelbäume. Plötzlich wirkt sie verschlossen und ihre Stimme klingt hart.

Jetzt bin ich verwirrt. Statt die Fäden im Leben meiner Uroma zu entwirren, habe ich das Gefühl, alles würde sich mehr und mehr zu einem Knäuel verwickeln, das die Geschichten und Informationen im Innersten fest eingesponnen hält.

Und so sitzen wir stumm nebeneinander: ein 17-jähriges Mädchen und zwei alte Frauen. Bis meine Urgroßmutter plötzlich zu singen beginnt: »Šla Nanynka do zelí, do zelí, do zelí, natrhala lupení, lupeníčka. Pcišel za ní Pepíček, pošlapal jí košíček. Ty, ty, ty, ty, ty, ty, ty to budeš platiti …«

Es ist eine kleine, einfache Melodie – wahrscheinlich ein Kinderlied. Ich bin baff, dass sie nach all der Zeit offenbar noch fließend Tschechisch spricht – oder besser gesagt: singt. Stumm starre ich sie an, aber die fremde alte Frau lacht und singt die letzten zwei Zeilen mit. Die dünnen, hohen Altfrauenstimmen schweben in der klaren Frühlingsluft und wieder sehe ich meine Urgroßmutter vor mir, wie sie mit Hanne im Garten Äpfel – und mit Annele ihre geliebten Zwetschgen – pflückt und die drei dabei dieses Lied singen.

Nun sind sie verstummt. Als ich zu meiner Urgroßmutter blicke, malt sie mit der Schuhspitze Kreise ins Gras – eine kindliche Geste, die zu dem Lied, nicht aber zu einer 88-Jährigen passt. Ich blicke die ehemalige Nachbarin an.

»Was war das, was Sie da eben gesungen haben?«

Die lächelt. »Werde übersetzen so gut, wie geht«, erklärt sie und beginnt: »Es ging Nanynka zum Sauerkraut, Blätter, Blätterchen pflücken. Da kam Pepíček und macht kaputt ihr Körbchen. Du, du, du wirst das bezahlen!«

Komischer Text mit dem Sauerkraut, denke ich, aber damals haben sich die Leute ja mit allem Möglichen selbst versorgt. Kartoffeln, Sauerkraut, Gurken … Als ich an Gurken denke, fällt mir der Essiggurken-Flur im Haus meiner Urgroßeltern ein und dann siedendheiß Ice H., der immer noch drin im Haus wartet und wahrscheinlich vor Sorge um seine Frau vergeht.

»Oh Mist, ich meine, äh … der Mann von meiner Oma ist im Haus und wartet, dass ich sie finde!«, erkläre ich hastig. Dann hocke ich mich vor meine Uroma und versuche, munter zu klingen: »Komm, Oma, Herri ist da drin und wartet auf dich!«

Doch die sieht mich wie eine Fremde an und sagt kein Wort.

»Oma, ich bin's. Marie! Wir müssen reingehen, dein Mann macht sich Sorgen«, versuche ich es erneut.

Doch sie starrt weiter vor sich auf den Boden und beginnt, die Zeilen aus dem Kinderlied vor sich hin zu flüstern: »Pcišel za ní Pepíček, pošlapal jí košícek. Ty, ty, ty, ty, ty, ty, ty to budeš platiti …«

Nun werde ich doch ungeduldig, außerdem kriege ich langsam Angst um meinen Urgroßvater im Haus. Auffordernd strecke ich ihr beide Hände entgegen. »Na komm, Oma, auf geht's!«

Zuerst sieht es so aus, als würde sie meine Hände ergreifen, doch plötzlich verzerrt sich ihr Gesicht vor Wut und sie faucht: »Das Körbchen hat er kaputt gemacht. Und ihre Kleider!«

Ich kapiere erst gar nicht, was sie meint, doch dann fällt mir die Übersetzung des Liedes ein: Pepícek, der das Körbchen des Mädchens mit dem Sauerkraut demoliert hat. Irgendwie scheint sie sich an diesem dämlichen Typen festgebissen zu haben.

»Ja ja, schon gut, Oma«, sage ich mit mühsam beherrschter Stimme. »Pepíček hat das Körbchen kaputt gemacht – und wir gehen jetzt rein, dein Mann wartet.«

Damit will ich die Finger der Urgroßmutter ergreifen, doch da verpasst die mir einen schmerzhaften Schlag auf meine ausgesteckte rechte Hand. Es tut ziemlich weh und ich zucke zurück. »Au! Sag mal ...« Den Zusatz »... spinnst du?« kann ich mir gerade noch verkneifen. Doch ich kann nicht verhindern, mich sauer zu fragen, was denn jetzt wieder in die verrückte Alte gefahren ist.

»Die Kleider hat er ihr kaputt gemacht, die Kleider!«, heult meine Urgroßmutter auf.

Vorsichtshalber weiche ich einen Schritt zurück, denn ich habe keine Lust, auch einen Leberhaken abzubekommen, nur weil die alte Frau wieder austickt.

Doch die hat sich jetzt zusammengekrümmt und wimmert wie vorhin im Haus. Die hohen, jämmerlichen Laute gellen schmerzhaft in meinen Ohren und bohren sich bis in mein Herz. Ratlos schaue ich zu der alten Nachbarin. Die blickt meine Uroma nur ruhig an und legt ihr wieder die Hand auf den Arm.

»Liesel«, sagt sie und dann irgendwas auf Tschechisch, das ich nicht verstehe.

Die Urgroßmutter beruhigt sich. Sie sinkt zurück auf die schiefe Bank und beginnt wieder mit ihrem Geschaukel.

»Tut mir leid, meine Uroma hat ... Probleme mit dem Gedächtnis. Also sie ist ... krank, wissen Sie? Demenz«, erkläre ich der alten Tschechin.

Die nickt nur. Ihr Gesicht ist ausdruckslos, weder Betroffenheit noch Mitleid spiegeln sich darin. So als sei diese Information nichts Neues für sie. Mir wird diese kleine, alte Frau immer rätselhafter.

»Bleiben Sie noch einen Moment bei ihr, bitte? Ich hole meinen Urgroßvater«, murmele ich und entferne mich rückwärts Richtung Haus.

Die Alte hat ihre Hand auf der meiner Urgroßmutter liegen. Sie blickt mir nicht nach, sondern redet leise auf Tschechisch auf sie ein. Welches Geheimnis die beiden Frauen wohl in der für mich unverständlichen Sprache miteinander teilen?

Kapitel 8

Annele

Die alte Nachbarin, die sich Ice H. und mir inzwischen mit den Worten: »Adéla, aber alle sagen mich Ada« vorgestellt hat, war so nett, uns in ihr Haus einzuladen. Dort gibt es Butterkuchen für alle, Tee für mich und meine Urgroßmutter und einen starken Kaffee für Ice H. Das tiefschwarze, bittere Gebräu weckt seine Lebensgeister offenbar wieder, jedenfalls sieht er viel besser aus als vorhin im Elternhaus meiner Urgroßmutter. Die hält ihre Teetasse mit beiden Händen fest und blickt mit großen, leeren Augen abwechselnd in ihren Tee und dann ziellos durch Adas Wohnzimmer mit den bestickten Kissen und der altmodischen Hängelampe über dem Tisch.

Ich habe schon das halbe Blech Butterkuchen aufgefuttert und obwohl es mir etwas peinlich ist, fühle ich mich erst danach richtig satt. Inzwischen hat Ada ihrer ehemaligen Kinderfreundin einen trockenen Rock aus ihrem Schrank angezogen und drängt nun darauf, dass sich die alte Frau im Wohnzimmer auf das altmodische, roséfarbene Samtsofa mit den riesigen, geschwungenen Armlehnen legt.

»Liesel, du brauchst Ruhe«, sagt die alte Frau energisch und stopft meiner Uroma noch zwei puffige Häkelkissen in den Rücken. Dann drückt sie Ice H. ebenso energisch in den abgewetzten Ohrensessel neben dem Sofa und zieht ihm sogar einen Fußschemel heran.

Fünf Minuten später schnarcht meine Urgroßmutter auf dem Sofa und auch Ice H. sind die Augen zugefallen. Ada schließt leise die Tür und winkt mich stumm in die Küche, wo noch mehr Kuchen wartet. Ich mache mich darüber her. Derweil beobachtet mich Ada stumm aus ihren fältchenumrandeten Augen, die wie zwei getrocknete Rosinen unter erstaunlich schwarzen Brauen hervorfunkeln. Ich nehme mir noch ein Stückchen, denn solange ich kaue, muss ich nicht sprechen. Die alte Frau ist nett, aber sie ist mir etwas unheimlich. Ada scheint über Dinge im Leben von meiner Uroma Bescheid zu wissen, die vielleicht nicht mal Ice H. weiß.

»Du siehst ihr gleich. Annemarie meine ich«, bricht Ada schließlich das Schweigen und mustert mich aufmerksam.

Ich schlucke meinen Bissen Kuchen herunter. »Komisch. Dabei sind wir gar nicht verwandt, meine Uroma und ich. Ich bin nämlich die Enkelin von Urgroßvaters Ältestem, also vom Sohn seiner zweiten Frau. Uroma ist seine dritte«, erkläre ich etwas hastig.

Ada nickt, doch ihre flinken, wachen Vogelaugen lassen mich nicht los. »Siehst ihr trotzdem gleich«, sagt sie in bestimmtem Ton.

Zögernd gebe ich zu: »Meine Uroma hat mich in den letzten Tagen immer wieder Annele genannt. Aber das ist die Demenz. Sie erinnert sich nicht mehr an Dinge, die vor Kurzem passiert sind – aber an ihre Jugend und Kindheit. Sagen die Ärzte.« Ich klinge wie ein Darsteller aus *Grey's Anatomy*, der seinen Text abspult.

Ada nickt und presst die Lippen zusammen. »Wäre besser umgekehrt. Schicksal wäre gnädiger«, sagt sie.

»Wieso?«, frage ich verblüfft. Ice H. hat seine Frau doch extra in den Osten gebracht, damit sie sich an ihre Heimat erinnert. Nur deswegen hat er mich doch kreuz und quer durch Deutschland und bis hierher gescheucht.

Ada schüttelt den Kopf. »Vergangenheit soll man ruhen lassen«, sagt sie nun kurz angebunden.

Na toll, denke ich entnervt, *den* Spruch habe ich doch schon irgendwo mal gehört. Ob der als allgemeingültige Parole für die

Generation Krieg erfunden wurde? Langsam reicht es mir. Alle tun so, als müsse über die Jahre zwischen 1933 und 1945 nicht mehr geredet werden. Aus und vorbei, zack, ab unter den Teppich damit und ja nie mehr anheben und drunter gucken. Als ob man die Geschichte ausradieren könnte! Dabei ist kein anderes historisches Ereignis so präsent wie der Zweite Weltkrieg: Geschichtsunterricht, Bildbände mit Fotos über den Krieg und die KZs, ja sogar im Urlaub verfolgt einen die deutsche Geschichte. Aber bei den Alten heißt es immer: »Ach, lass das doch ruhen.« Wie beknackt ist das denn?

Genau das sage ich Ada, nur das »beknackt« lasse ich weg. Trotzdem kommt es ziemlich patzig rüber. Doch statt sauer zu werden, schaut Ada mich nur kummervoll an. »Kind, Kind, was damals war, das willst du gar nicht wissen«, sagt sie leise.

»Doch!«, erwidere ich trotzig. »Ich hab's nämlich satt, dass alle immer meinen, man müsse die Vergangenheit ruhen lassen und dabei ist sie aber immer da. Bei meinem Urgroßvater, bei meiner Uroma, sogar bei Ihnen!« Etwas atemlos breche ich ab und starre Ada an.

Die seufzt. Plötzlich wirkt auch sie müde. Oder eher resigniert, wenn ich sie mir so ansehe.

»Hat deine Uromi dir erzählt von Krieg?«, fragt sie.

»Eben nicht«, erwidere ich wütend. »Keiner hat irgendwas gesagt, nie ist bei uns da drüber geredet worden. Langsam hab ich das Gefühl, meine Urgroßeltern waren Vollblutnazis oder so was«, rutscht es mir heraus. Erschrocken blicke ich Ada an, das wollte ich eigentlich gar nicht sagen.

Aber Ada sieht weder geschockt noch sauer aus. »Nicht deine Urgroßeltern – aber Vater von Liesel. Der war Vollblutnazi. Hat sich sofort Partei angeschlossen. 1938, gleich als Hitler Anschluss von Sudetenland an Deutsches Reich befohlen hatte.«

1938, 1938 … Vage erinnere ich mich an eine Geschichtsklausur, die das sogenannte »Münchner Abkommen« zum

Thema hatte. Es zwang die Tschechoslowakei zur Räumung aller sudetendeutschen Gebiete. Ich kassierte eine glatte Vier, weil ich nur schlampig gelernt hatte. Zwar wusste ich, dass Hitler so getan hatte, als sichere dieses Abkommen den Weltfrieden. In der Pose des ehrlichen Staatsmannes hatte er öffentlich erklärt, er habe keine weiteren territorialen Forderungen. Das war jedoch eine glatte Lüge: Nach der Besetzung des Sudetengebietes hatte der Dikator seine Kriegsvorbereitungen nämlich unbeirrt fortgesetzt. Doch bei der Klausurfrage, wer das Abkommen außer Hitler noch unterzeichnet hatte, musste ich passen. Die richtige Antwort wäre gewesen: der italienische Diktator Mussolini, der englische Premierminister Chamberlain und der französische Ministerpräsident Daladier, das weiß ich inzwischen. Die miese Note in Geschichte kratzte mich damals nicht. Was interessierten mich Dinge, die längst vorbei waren und mich sowieso nicht betreffen?

Aber jetzt werden diese Jahreszahlen plötzlich lebendig und ragen wie die Äste von toten Bäumen in meine eigene Familiengeschichte hinein. Mein Ururgroßvater war also ein überzeugter Nazi. Na toll. Wieso kann ich nicht die Ururenkelin von jemandem wie Graf von Stauffenberg sein? Dann wäre ich die Nachfahrin eines Helden. Stattdessen ist meine Ahnengalerie braun gefärbt.

»Hat der Vater meiner Uroma … ich meine, hat er was Schlimmes gemacht?«, frage ich zögernd. Obwohl ich lieber nichts davon hören möchte, muss ich fragen.

Ada scheint mit sich zu hadern, ehe sie mit den Schultern zuckt. »Wann man hat gefunden Leichen von halbes Dutzend Männer im Wald hinter Lipová in Winter 1943, ging in Dorf das Gerücht, dass es war Liesels Vater, der die Erschießung angeordnet hatte, weil er glaubte, sie waren Partisanen. Aber nach dem Krieg … er musste büßen. Er … und seine Familie. Verstehst du?«

Ich starre Ada in das zerfurchte Gesicht, das einen gequälten Ausdruck angenommen hat. Jetzt wünsche ich beinahe, ich hätte nicht nachgefragt. Obwohl ich gerade noch eingefordert habe, die

Vergangenheit endlich aufzuklären, würde ich jetzt am liebsten rufen: »Schluss mit den alten Geschichten!«

Aber ich spüre, dass es jetzt zu spät ist. Wie für zwei Züge, die aufeinander zufahren, deren Bremsen zwar kreischen, die aber nicht mehr stoppen können. Und da weiß ich plötzlich mit absoluter Gewissheit, dass hier in Adas Haus der Schlüssel zur Vergangenheit meiner Urgroßmutter liegt. Eine Vergangenheit, von der sie selbst nicht mehr erzählen kann, weil ihr Kopf inzwischen zu wirr ist, um zwischen Vergangenheit und Gegenwart zu unterscheiden.

»Was heißt das, die Familie musste büßen? Weil sie vertrieben worden sind?«, frage ich mit belegter Stimme.

Ada schweigt.

»Was ist damals passiert, als der Krieg verloren war?«, bohre ich. Ich muss es wissen, ich kann nicht anders. Wie als Kind, als ich mit der Zunge immer wieder an einen wackelnden Zahn stieß, obwohl ich mich vor seinem Herausfallen und dem Schmerz fürchtete, so kann ich jetzt nicht anders, als immer weiter in der Wunde der Vergangenheit zu stochern.

Ada blickt auf ihre Hände, die mit braunen Altersflecken und blauen Adern überzogen sind und verkrampft in ihrem Schoß liegen. »Russen sind einmarschiert. Sie haben eingebrochen in Schnapsfabrik …«, sagt Ada und holt mit einem heftigen Schnauben Luft.

»Ja, aber … die Bewohner hatten doch schon den ganzen Schnaps in den Bach gekippt«, entgegne ich. »Hat mir jedenfalls mein Urgroßvater erzählt.«

»Ja, dachte man, ganzer Schnaps ist fort«, sagt Ada, »war aber nicht so. In eine Loch im Wand eingemauert haben Fabrikarbeiter noch die teuren Flaschen versteckt gehabt. Irgendwer hat verraten und Soldaten haben gefunden den ganzen Schnaps. Und dann hat es begonnen, das Trinken. Das Gelage. Das Lachen und das Geschrei und das Singen. Und irgendwann sind betrunkene Soldaten dann ins Dorf gelaufen ... Sie haben die Türen von die Häuser der deutschen Bewohner eingetreten und dabei gebrüllt: ›Matka, Matka‹ ...« An dieser Stelle bricht Ada ab. Sie atmet schwer und knetet ihre Hände. Ihr Gesicht zuckt. Ich weiß nicht, ob Ada gleich weinen wird oder ob es die Wut ist, die ihr Gesicht verzerrt.

Ich muss schlucken, wie an einem zu großen Bissen Kuchen, ehe ich meine Frage herausbringe. Dabei ist mein Teller längst leer. »Was heißt ›Matka‹?«

Ada blickt mich an, ihre dunklen Augen sind wie zwei schwarze Löcher, trübe und leer. »Matka heißt Mutter«, sagt Ada tonlos. »Aber die Soldaten meinten Frauen. Sie wollten Frauen.«

In dem Moment klickt es bei mir. Wie konnte ich nur so blind sein? Wie ein Puzzle setzen sich nun die Teile zusammen: Die Urgroßmutter, wie sie im Wäldchen am Rastplatz kauert. Voller Angst. »Versteck dich, Annele, die Russen kommen!« Die Wut, die sie bei dem tschechischen Kinderlied überkam: »Die Kleider hat er ihr kaputt gemacht, die Kleider!« Kein Zweifel: Die alte Frau erinnert sich, dass die Russen auch in *ihr* Haus kamen – und Annele vergewaltigten. Denn die dritte Schwester Hanne war zu diesem Zeitpunkt ja schon ein Jahr tot. Mir wird übel.

Ada scheint zu ahnen, was in mir vorgeht, denn sie legt ihre Hand auf meinen Arm und nickt mitfühlend. So als wolle sie sagen: »Hast du es nun verstanden?«

Diese Schweine, denke ich, und Wut auf die russischen Soldaten schießt wie eine grellrote Welle durch meinen Kopf und direkt zu meinem Herzen. Aber dann fällt mir ein, was Ada über den Vater meiner Urgroßmutter gesagt hat: Ein »Vollblutnazi« ist er gewesen. Ich öffne den Mund, um etwas zu sagen, doch ich kriege nur ein Kieksen zustande. Meine Stimme ist irgendwo stecken geblieben. Energisch räuspere ich mich. »Woher wussten die russischen Soldaten, dass der Vater von Liesel und Annele ein Nazi war?«

»Jemand aus Dorf hat ihn wohl verraten«, sagt Ada. »War ja überall bekannt, dass er war ein hoher Parteifunktionär. Ist immer ganz stolz in seine Uniform mit Hakenkreuz herumspaziert. Im Wohnzimmer hing Bild von Adolf Hitler über Sofa. Und immer hat er laut über Juden geschimpft. ›Ausrotten, das Pack!‹ Das war sein Spruch. Mein Vater, was war Tscheche, konnte ihn nicht leiden. Aber Liesel und ich haben trotzdem zusammen gespielt«, sagt Ada.

Ich halte die Luft an und wage nicht, die alte Frau zu unterbrechen. Ada scheint mich gar nicht mehr wahrzunehmen, sie scheint in den Raum hinein zu sprechen, in Gedanken weit fort. »Als dann russische Besatzer eingebrochen sind in Haus von Liesels Vater, sie haben gefunden sein Parteibuch unter Dielenboden, wo er es hatte versteckt. Zwei Russen haben ihn weggeführt. Keiner im Dorf hat ihn danach wiedergesehen …«

»Sie meinen, er wurde weggebracht, ohne dass jemand wusste wohin?« Nun bin ich doch fassungslos. Obwohl ich aus Geschichtsbüchern weiß, was mit Parteifunktionären und SS-Angehörigen passiert ist, die den Russen in die Hände fielen. Die meisten wurden inhaftiert und einige kamen nie zurück. Ich habe mal gelesen, dass man sie zuerst nach Auschwitz brachte, dorthin, wo zuvor eine Million Juden getötet worden waren. Und später wurden die Gefangenen in Gulags abtransportiert. Als Vergeltung für alle Verbrechen, die sie im Namen Adolf Hitlers begangen hatten, musste sie dort arbeiten. Aber dass dies dem Vater meiner eigenen Urgroßmutter passiert ist, schockiert mich doch.

Ada zuckt mit den Schultern und schweigt.

Ich verspüre eine plötzliche heftige Abscheu gegen die alte Frau: Sitzt da und redet mit unbewegter Miene darüber, wie das ganze Leben einer Familie zerstört wurde. »Die Russen haben einfach so Leute verschleppt – und alle haben zugeschaut?«, will ich aufgebracht wissen.

»War für sie Gerechtigkeit für getötete Kameraden in Stalingrad. Und von Dorf konnte keiner helfen, sonst wären selbst mitgenommen worden«, sagt Ada mit einer Gleichmütigkeit, die mich noch mehr in Rage bringt.

»Ach, und als die russischen Soldaten Annele vergewaltigt haben, da haben auch alle tatenlos zugesehen, ja?«, fauche ich und höre selbst, wie hoch und atemlos meine Stimme klingt.

»Annemarie?«, fragt Ada ehrlich erstaunt.

»Ja, Sie haben doch gesagt, die Familie meiner Uroma musste büßen. Und dass die russischen Soldaten ins Haus gestürmt sind, um Frauen zu vergewaltigen«, erkläre ich ungeduldig.

Ada starrt mich an.

»Was ist?«, würde ich die alte Nachbarin am liebsten anschreien.

»Annele war in Garten, als Russen kamen. Hat sich auf Baum versteckt, was viel geblüht hat im Mai. Deswegen hat keiner der Soldaten sie entdeckt«, sagt Ada langsam, als wäre ich ein dummes, begriffsstutziges Kind.

»Aber wer …«, beginne ich, doch dann begegne ich Adas Blick. Die alte Nachbarin sieht mich nur stumm an.

Und dann beginnt das Wohnzimmer, sich vor meinen Augen zu drehen. Endlich verstehe ich. Nicht die jüngere Schwester Annele war das Opfer der betrunkenen Soldaten, sondern meine Urgroßmutter.

Ada nickt, als hätte ich es laut ausgesprochen. »Ist passiert oben, im Mädchenzimmer. Zwei Soldaten sind mit Liesel ins Obergeschoss gegangen und haben gedroht, jeden zu erschießen, der hineinkommt. Mama von Liesel musste unten bleiben. Sie hat aufgepasst, dass Annemarie nicht kommt und sieht, was Soldaten machen mit ihre Schwester. Sonst wäre sie die Nächste gewesen.« Erneut bricht Ada ab und schüttelt den Kopf, ehe sie leise fortfährt: »Größte Angst von Liesel war, dass Soldaten auch ihre Schwester finden. Aber die blieb in Versteck. Ganze Nacht und auch nächste Tag, so lang, bis Russen waren weitergezogen.« Ada verstummt. Sie wirkt müde und ausgelaugt.

Mir ist schlecht. Obwohl ich nicht daran denken will, kann ich mich nicht gegen die Bilder wehren, die vor meinem inneren Auge auftauchen. Das Elternhaus der Urgroßmutter. Schwere Stiefel, die gegen die Tür treten. Russische Wortfetzen und Geschrei. Ein Mädchen in weißem Musselinkleid, das von zwei Soldaten die Treppe hoch gestoßen wird. Ein anderes Mädchen, das versteckt zwischen den Ästen ihres geliebten Zwetschgenbaums kauert und sich nicht zu rühren wagt, während im Haus mit der Schwester Furchtbares geschieht. Und eine Mutter, die von dem Schrecken ihrer Tochter weiß, aber stillhalten muss, damit die Soldaten nicht die ganze Familie verschleppen – so wie den Vater, den »Vollblutnazi«.

Daher die Panik meiner Urgroßmutter vor dem Obergeschoss des Hauses. Dort ist es passiert. In dem Zimmer, das mir noch vor zwei Stunden so friedlich vorkam. Vielleicht sogar in dem Bett, in das ich mich mit Laser hineingeträumt habe.

Weiter komme ich nicht. Adas Butterkuchen schwappt in einer Welle erst meinen Magen und dann die Kehle hoch. Ich springe auf und stürze raus.

*

Nachdem mich Ada gestützt hat, als ich aus dem Klo getaumelt bin, flößt sie mir Tee ein. Mein Kopf dröhnt und ich habe immer noch den Geschmack von Säure im Mund. Doch nicht nur mein Körper fühlt sich ausgelaugt an, auch meine Gedanken sind wie vergiftet.

»Wer hat davon gewusst?«, frage ich heiser.

»Weiß nicht, vielleicht keiner. Die Soldaten waren wie die Tiere in dieser Nacht. Dasselbe ist noch mehr Frauen im Dorf passiert«, sagt Ada.

»Ihnen auch?«, platze ich raus und gleich darauf schäme ich mich für meine Neugierde.

Ada schüttelt den Kopf. »Soldaten kamen auch zu uns. Zwar war Papa Tscheche – hätte aber vielleicht auch nichts genutzt. Aber ich war krank. Hatte ich Blattern … wie sagt man? … Pocken, ja? Sah schlimm aus, aber war mein Glück«, sagt Ada und lächelt schief. »Soldaten haben nur einen Blick geworfen auf mir und sind aus Haus gerannt wie von Teufel gejagt.« Die alte Frau zieht ihre faltige Wange glatt und ich kann kleine Punkte erkennen, die sich wie winzige Krater in die Haut gegraben haben. »Narben von Pocken«, sagt Ada. »Aber besser in Gesicht als hier.« Sie klopft auf ihre linke Brust, dorthin, wo das Herz sitzt.

Ich kann nur nicken. Bestimmt hat meine Urgroßmutter dieses Erlebnis nie vergessen, es hat ihre Jugend überschattet und jegliche schöne Erinnerung kaputt gemacht. Und in dieser Sekunde schießt mir der Gedanke durch den Kopf: Ob *ich* wohl jemals vergessen kann, dass mein erstes Mal mit Laser nicht so war, wie ich es mir erträumt hatte? Dass es so schnell und verstohlen gewesen ist? Schnell will ich diese Gedanken wieder loswerden. Immerhin war es ja nicht gegen meinen Willen – im Gegenteil.

»Aber du hast es dir trotzdem anders vorgestellt«, wispert die innere Stimme, die mich immer wieder heimsucht.

Ich will aber jetzt nicht darüber nachdenken und schüttele energisch den Kopf. Ein Fehler, denn der beginnt von der Kotzerei und Adas schlimmen Geschichten nun derart schmerzhaft zu pulsieren, dass ich das Gefühl habe, er würde gleich platzen wie eine überreife Melone. Auf einmal will ich nur noch weg von hier, weg von der Vergangenheit meiner Urgroßmutter, weg von all den schlimmen Erinnerungen, die in den Mauern des tschechischen Hauses wohnen und die in meinem Kopf nun auch dunkle Gedanken säen, die aufgehen wie schwarze Blumen.

Am liebsten würde ich jetzt sofort losfahren, nach Hause zu meiner Mutter. Ob die über diese Geschichte Bescheid weiß? Ich bin mir fast sicher, dass dem nicht so ist. Bestimmt hat sich meine Uroma nie getraut, jemandem außer Ice H. davon zu erzählen. Unwillkürlich denke ich daran, wie meine Urgroßmutter »Schhh, schhh, Annele, keiner darf's erfahren« geflüstert hat. Die ganzen Jahre hatte sie darüber geschwiegen und schließlich hat die Demenz dafür gesorgt, dass sie alles vergaß.

Oder auch nicht. Plötzlich erinnere ich mich, dass sie den Pfleger im Heim geschlagen hat, als der ihr das nasse Nachthemd ausziehen wollte. Ist das furchtbare Erlebnis aus der Vergangenheit da noch einmal an die Oberfläche gekommen? Nachdem sie mehr als sechzig Jahre lang alles verdrängt hatte – verdrängen hatte müssen –, um überhaupt weitermachen zu können?

Mit wackligen Knien stehe ich von Adas Küchenbank auf. Ich habe mehr über die Geschichte meiner Uroma erfahren, als ich je für möglich gehalten hatte. Und was ich erfahren habe, ist schlimmer als alles, das ich mir hätte ausmalen können. Als hätte ich wieder und wieder mit einem spitzen Stock in einem Wespennest herumgestochert. So lange, bis die Tiere plötzlich alle auf einmal herausgeschossen kamen und mich mit mehreren schmerzhaften Stichen bestraften.

*

Der Abschied von Ada fällt kurz aus, denn Urgroßmutter macht Theater.

»Wo soll ich denn hin? Ich will bei Ada bleiben«, quengelt die alte Frau in einem fort, seit Ice H. sie geweckt und von Adas Sofa zum Auto gelotst hat. Jetzt stehen wir vor dem Wagen und sie weigert sich einzusteigen.

»Liesel, wir fahren heim«, versucht Ice H. seiner Frau klarzumachen, doch die stemmt beide Hände gegen das Autodach.

»Ich will nicht, ich will nicht, ich will nicht«, ruft sie und ihre Stimme wird bei jedem Wort lauter und hysterischer. Sie beginnt, meinen Urgroßvater auf Tschechisch zu beschimpfen. Wahrscheinlich ist es nun ganz gut, dass er die Sprache nicht beherrscht, denn was seine Frau da von sich gibt, klingt nicht gerade freundlich. Sie zischt ihn an wie eine Schlange einen Mungo.

Schließlich greift Ada ein. Sie tritt nah an ihre ehemalige Nachbarin heran und murmelt ein paar Sätze auf Tschechisch. Dann lacht sie schelmisch und gibt der Urgroßmutter einen kleinen Klaps. Da lacht auch meine Uroma und steigt ohne Widerrede ins Auto.

Ice H. setzt sich auf die Rückbank und ich sehe, wie er aufatmet. Ich will gar nicht wissen, was Ada gesagt hat, sondern bin einfach nur froh, dass wir jetzt endlich hier weg können.

»Wiedersehen«, sage ich zu Ada und gebe ihr die Hand.

Sie drückt sie einen Moment lang und sieht mir prüfend ins Gesicht. »Wiedersehen«, sagt sie und es klingt wie eine Frage.

»Ja, und … vielen Dank für den Kuchen und … na ja, für alles«, stottere ich etwas hilflos.

Als hätte die alte Tschechin gemerkt, dass mir die richtigen Worte fehlen, nickt sie nur stumm und tätschelt mir kurz und aufmunternd die Wange, ehe sie sich umdreht und ins Haus zurückgeht.

»Aber … wo geht sie hin?«, jammert meine Urgroßmutter. Sie zerrt am Anschnallgurt und macht Anstalten, Ada nachzulaufen. Ihr Gesicht verzieht sich, als würde sie gleich weinen.

»Liesel, ganz ruhig, alles ist gut«, murmelt mein Urgroßvater beruhigend und hält behutsam ihre Hände fest.

Sie hört auf, am Gurt herumzuziehen, und blickt zur Seite. »Und wer sind Sie?«, fragt sie Ice H. und mustert ihn konsterniert von oben bis unten.

Oh Shit, denke ich, jetzt erkennt sie nicht mal mehr ihren eigenen Ehemann!

Auch mein Urgroßvater zuckt zusammen und starrt sie entgeistert an. »Liesel, ich bin's doch … Herri. Ich bin dein Mann«, sagt Ice H. beschwörend.

Da rammt meine Uroma ihm kichernd den Ellenbogen in die Seite. »Hab ich nur gemacht einen Spaß«, sagt sie und giggelt wie ein junges Mädchen.

Ice H. klappt der Mund auf, doch nach einer Schrecksekunde lacht auch er. Etwas zu laut vielleicht, aber eindeutig erleichtert.

Mir fällt ein Stein vom Herzen. Und ich kann nicht anders, als mich von der Heiterkeit auf dem Rücksitz anstecken zu lassen. Für einen Moment ist das Auto erfüllt von Gelächter.

Erst als ich den Zündschlüssel drehe, fällt mir auf, was gerade seltsam war. »Hab ich nur gemacht einen Spaß«, hat meine Uroma gesagt und mit dieser etwas verdrehten Satzstellung plötzlich wie Ada geklungen.

Ich drehe mich halb zu den beiden um und überlege, meine Uroma noch mal anzusprechen, doch sie ist bereits eingeschlafen.

Kapitel 9

Eine Versöhnung
und eine Verhaftung

Während der Fahrt habe ich Mühe, mich zu konzentrieren. Am liebsten würde ich auch schlafen wie meine Urgroßmutter. Der Tag hat mich so geschlaucht, als wäre ich nach Tschechien gelaufen, statt mit dem Auto gefahren. Mein ganzer Körper ist verkrampft und mein Nacken schmerzt, als hätte ich Eisenhanteln gestemmt. Ständig geistern mir Adas Sätze durch den Kopf, verbinden sich mit Bildern, die ich lieber ausblenden würde. Aber die Ödnis der tschechischen Landstraße lässt mich unweigerlich an damals denken. Zudem will mir dieses tschechische Kinderlied nicht aus dem Ohr, das die beiden alten Frauen im Garten gesungen haben. Wie eine Endlos-Spieluhr erklingt die kleine, einfache Melodie immer und immer wieder.

Schließlich wird es mir zu bunt und ich schalte mit einem energischen Drehen des Knopfes das uralte Autoradio in Ice H.s Mercedes ein. Natürlich sinnlos, denn außer ein paar tschechischen Fetzen, die vermutlich zu einer Werbesendung gehören, ist nur Rauschen zu hören.

»Langsamer drehen, nicht so hektisch«, herrscht Ice H. mich vom Rücksitz an.

Ich schnaube genervt, tue aber, was er sagt. Als Belohnung erschallt aus den altersschwachen Boxen jetzt prompt Volksmusik.

Mit Tschingderassabäng und allem Drum und Dran. »Mutanten-Stadl auf Tschechisch«, würde Nika wahrscheinlich sagen. Gerade vermisse ich sie ganz besonders und fühle mich einsam. Genervt mache ich dem Radio den Garaus.

»Was soll das denn jetzt?«, fragt mein Urgroßvater.

»Ich boykottiere den Osten«, erwidere ich patzig. Ist er taub? Diese Polka Diavolo ist doch echt nicht auszuhalten!

»Ihr jungen Leute habt nichts als diese Negermusik im Kopf«, ätzt Ice H.

Ich atme tief durch. Wieso war ich so blöd zu glauben, mein Urgroßvater hätte sich auch nur einen Deut geändert? Spießig wie eh und je und alles hassen, was nach Amerika klingt – das ist Ice H., wie er leibt und lebt.

»Wieso willst du eigentlich unbedingt nach Uh-Es-Ah, hm?«, bohrt seine Stimme vom Rücksitz nach.

»Weil dort die *netten* Großeltern wohnen«, liegt es mir schon auf der Zunge, aber ich beherrsche mich gerade noch.

Als könne er Gedanken lesen, sagt Ice H.: »Wegen deiner Groß-eltern väterlicherseits wird's ja wohl nicht sein – jedenfalls nicht nur. Verwandtenbesuche hast du schließlich noch nie gemocht!«

Ich muss zugeben: Eins zu null für Ice H.

»Da sind ein paar aus meiner Schule und machen Ferien«, nu-schle ich und hoffe, dass er sich mit dieser Antwort zufrieden gibt.

»Tsss, sind wohl auch ein paar Jungen drunter, was? Fängst ja schon früh an«, brummt der alte Mann. Sofort stolpert die Erinnerung an Laser wieder durch meine Gedanken. Und das Bild, wie ich mit ihm im Geräteraum auf dem Stapel Turnmatten liege … Ich spüre, wie mir eine heiße Röte den Nacken hochsteigt. Nun bin ich sauer auf meinen Urgroßvater, weil er es schafft, mich mit einer einzigen fiesen Bemerkung in Verlegenheit zu bringen.

»Hey, ich bin 17, ja?«, pampe ich ihn heftiger an als nötig und aus purem Trotz setze ich noch einen drauf: »Und zum Glück ist man heute nicht mehr so verklemmt wie zu deiner Zeit.«

Ein Fehler, denn jetzt fühlt er sich berufen, zu einer größeren Predigt auszuholen. »Was du spießig nennst, hieß bei uns Moral. Mit 17 hat man bei uns nicht herumpoussiert, da herrschten Anstand und Disziplin«, bellt Ice H.

»Klar«, rutscht es mir heraus, »bei euch durfte nur gepoppt werden, um Kinder für den Führer zu produzieren!« Ich weiß, dass ich mich mit dem Spruch ziemlich weit aus dem Fenster lehne. Ice H. kann ganz schön sauer werden.

Der schnauft jedoch nur zweimal wortlos – anscheinend hat es ihm die Sprache verschlagen.

»Mann, tut mir leid, ist mir so rausgerutscht«, versuche ich, die Wogen zu glätten. Nicht dass ihn vor lauter Zorn noch der Schlag trifft.

Doch offenbar musste er nur Luft holen, um noch mehr Boshaftigkeiten gegen »die Jugend« loszuwerden, denn jetzt legt er erst richtig los: »Die jungen Leute heutzutage sind doch alle verdorben! Schlampig rumlaufen, Metallknöpfe im Gesicht tragen und immer höre ich, dass es nur ein Ziel gibt: Spaß, Spaß, Spaß! Und alle bilden sich was auf diese Freizügigkeit ein! Aber wenn ich erst 13-jährige Mädchen in diesen kurzen Röcken und mit nacktem Bauch sehe, wird mir schlecht!«

Oh Mann, denke ich nur resigniert, jetzt ist Ice H. also wieder in seinem Element. Kann er nicht einfach mal akzeptieren, dass zwischen seiner Jugend und der heutigen Zeit fast ein Jahrhundert liegt?

Und er ist noch nicht fertig: »Bei uns gab es diese Art Freizügigkeit nicht! Deine Urgroßmutter war schon 26 – und ist noch unberührt in unsere Ehe gegangen!« Triumphierend nickt er mir im Rückspiegel zu.

»Stimmt gar nicht! Du hast Oma doch erst geheiratet, nachdem sie aus Lipová weg war«, erwidere ich hitzig. Moralpredigt schön und gut, aber dass mein Urgroßvater jetzt so tut, als hätte es die schlimme Geschichte seiner Frau nie gegeben, geht mir nun doch gegen den Strich.

Auf dem Rücksitz herrscht Schweigen.

Nach einer Weile, als ich schon beginne, die Bäume am Straßenrand zu zählen, um mich von der eisigen Stille abzulenken, höre ich hinter meinem Rücken den alten Mann fragen: »Was soll das heißen?« Seine Stimme klingt jetzt nicht mehr fest und sicher, sondern irgendwie leiser.

Prompt überfällt mich das schlechte Gewissen. Ich hätte meinem Urgroßvater ja vielleicht auch sensibler klarmachen können, was ich von Ada erfahren habe. Bestimmt denkt Ice H., er ist abgesehen von Uromas Mutter der Einzige, der von dem schrecklichen Geheimnis weiß. Also beschließe ich, das Kriegsbeil zwischen uns zu begraben.

»Okay, hör zu, ich weiß von Ada, was damals passiert ist. Sie hat es mir erzählt, als du und Oma heute Mittag bei ihr gepennt habt«, sage ich und versuche, Ice H. im Rückspiegel einen verständnisvollen Blick zuzuwerfen.

Doch der runzelt die Stirn und mustert mich verständnislos. »Was soll passiert sein?«, fragt er.

Ich werde unsicher. Er klingt, als stünde er auf dem Schlauch. Und plötzlich, als wäre ich nach der Sauna in das Becken mit eiskaltem Wasser gesprungen, werde ich hellwach und mir geht auf, dass Ice H. tatsächlich die ganzen Jahre keinen Schimmer gehabt haben kann. Denn sonst wäre er niemals auf die Idee gekommen, seine Frau zurück in ihre tschechische Heimat zu bringen. Nicht, wenn er gewusst hätte, was ihr dort im Elternhaus widerfahren ist. Ice H. ist ein harter Brocken, aber er liebt seine Liesel und würde ihr nie wehtun. Scheibenkleister, denke ich. Habe ich mal wieder die Klappe aufgerissen, ohne nachzudenken.

Ganz großer Fehler, denn Ice H. lässt nicht locker: »Was meinst du mit ›passiert‹? Sag!«, fordert er.

Ich komme jetzt nicht mehr gegen ihn an. »Als die russischen Besatzer nach Lipová kamen, haben sie erst die Schnapsfabrik geplündert und sind dann ins Dorf gekommen. Und da haben sie dann die Häuser gestürmt und herumgebrüllt ...« Ich merke, dass ich anfange, mich drumherum zu lavieren. Weil ich nicht aussprechen will, was oben im Obergeschoss des Hauses mit der Urgroßmutter geschehen ist.

Doch Ice H. lässt nicht locker. »Weiter!«, befiehlt er.

Ich schlucke und würge an den nächsten Sätzen. »Den Vater von Oma haben sie mitgenommen, weil sie sein Parteibuch gefunden haben. Und Annele saß versteckt im Pflaumenbaum. Sie haben die Soldaten nicht entdeckt. Aber Oma, die haben zwei russische Soldaten mit nach oben genommen ...«

»Hör auf, ich will nichts mehr hören«, fährt Ice H. so heftig dazwischen, dass ich vor Schreck zusammenzucke und dabei leicht das Lenkrad verreiße. Der Wagen schlingert kurz, ehe ich das Steuern wieder in den Griff kriege.

»Tut mir leid, ich dachte, du wusstest ...«, fange ich an.

Doch er unterbricht mich erneut mit einer heftigen Handbewegung. »Halt an, ich muss ... an die frische Luft«, sagt er japsend und ich bringe mit quietschenden Reifen das Auto am Straßenrand zum Stehen.

»Wieso hat sie nicht mal dir erzählt, was damals war?«, frage ich und beobachte meinen Urgroßvater, der ruhelos hin und her tapert – sichtlich aufgewühlt.

Schnaubend bleibt er stehen, als hätte ich eine wirklich dumme Frage gestellt. »Weil das für Frauen eine Schande war«, blafft er, blickt mich dabei aber nicht an, sondern studiert das schmutzigbraune Gras am Straßenrand. »Liesel dachte wahrscheinlich, ich würde sie nicht heiraten, wenn sie es mir gesagt hätte.«

»Mann, das ist doch Quatsch«, protestiere ich – aber als Ice H. eine Sekunde zu lange schweigt, setze ich ein »Oder?« nach.

Mein Urgroßvater starrt verkniffen in den Himmel.

Das gibt es ja wohl nicht, denke ich wütend und schnauze ihn an: »Sag mal, checkst du überhaupt, was Oma durchgemacht hat? Nee! Du markierst hier die beleidigte Leberwurst, weil sie dir was verschwiegen hat! Jungfräulich in die Ehe – so ein Bullshit! Aber soll ich dir mal was sagen – wenn sie's erzählt hätte, dann hättest du sie tatsächlich nicht geheiratet, stimmt's?«

Nachdem das alles wie aus einem geplatzten Wasserrohr aus mir herausgesprudelt ist, sehe ich, wie Ice H. die Zähne aufeinanderpresst. Seine Kaumuskeln bewegen sich ein paar Mal stumm, ehe er mich anfährt: »Weißt du, wie das ist, wenn sich die eigene Frau von dir wegdreht, wenn du sie in den Arm nehmen willst? Aber man muss doch mal darüber hinwegkommen! Ich habe im Krieg und während der Gefangenschaft jahrelang leiden müssen. Glaubst du vielleicht, die Zeit im sibirischen Lager war ein Zuckerschlecken? Meine Stiefel haben sie mir weggenommen und ich hab bei eisiger Kälte im Schnee Steine geschleppt. Im Steinbruch, mit nichts als ein paar Holzpantoffeln an den Füßen. Ja, das mit den Russen war schlimm – aber sie waren doch nur *einmal* da! Bei mir hat es drei Jahre gedauert! Drei! Und jeder Tag war Schikane! Aber man muss diese Dinge nach einer gewissen Zeit vergessen! Sonst wird das Leben doch nie wieder normal!«, brüllt Ice H. Sein Gesicht ist rot vor Aufregung und in seinen Mundwinkeln sammelt sich Speichel.

Ich starre ihn nur an. »Was ist das denn für eine Kacke, deine Gefangenschaft gegen das, was Oma passiert ist, aufzurechnen? Sie hat nichts getan, sie hatte nur das Pech, dass ihr Vater ein Nazi war. *Du* hast Leute totgeschossen und ziehst hier die Leiden-Jesu-Christi-Nummer ab, oder was? Willst du noch einen verdammten Orden dafür, oder was?«

Ich bin so in Rage, dass ich zweimal »oder was« sage. Bevor ich aber darüber nachdenken kann, werde ich plötzlich gepackt und kurz, aber heftig geschüttelt. Für einen Moment verliere ich das Gleichgewicht. Die Frage »Was ist denn jetzt los?« purzelt in meinem Kopf herum wie die Lottokugeln in der Lostrommel. Dann geht mir auf, dass es mein Urgroßvater ist, der mich da so grob schüttelt. Ich bin so baff, dass ich erst mal gar nichts sagen kann.

Da lässt Ice H. abrupt los und schreit mich an: »Du hast doch keine Ahnung, du Grünschnabel! Was hast du denn schon mitgemacht in deinem Leben? Nichts, gar nichts! Verzogen und verwöhnt – das bist du! Fliegst mal schnell in den Ferien nach Amerika, für ein paar Hundert Euro. Hast du eine Ahnung, wie viel ich nach dem Krieg geschuftet habe, um nur einen Bruchteil davon zu verdienen? Damit ich meine Familie durchbringe? Und dann kommst du und wagst es, mir Vorwürfe zu machen? Was fällt dir ein – du, du … Rotzgöre!?« Der alte Mann holt tief Atem, so sehr hat er sich aufgeregt.

Ich starre ihn mit offenem Mund an. Noch nie hat mich jemand so angegangen. Von meiner Mutter habe ich nur einmal einen kurzen Klaps kassiert, da war ich fünf und hatte sie aus Wut, weil ich kein Eis bekommen hatte, in den Finger gebissen. Jetzt bin ich 17 und dann kommt Ice H., der mich schüttelt und anbrüllt?

»Das lasse ich mir nicht gefallen, nicht von dir«, zische ich ihn wütend an. Was bildet sich der Alte eigentlich ein? Als Nächstes verprügelt er mich noch, oder wie?

Mit zitternden Fingern zerre ich die Autoschlüssel aus meiner Hosentasche und schmeiße sie Ice H. vor die Füße. »Hier! Fahr deine Scheißkarre allein nach Hause. Ich hab's echt satt, mit euch hier rumzugondeln!« Damit wende ich mich ab und stapfe mit großen Schritten davon.

Die Rufe meines Urgroßvaters, ich solle stehen bleiben, ignoriere ich. Ich stelle mich einfach taub. Soll er doch sehen, wie er klarkommt – ich bin raus aus der Nummer.

*

Eine Stunde später ist mein Zorn verraucht. Und jetzt schleicht sich langsam die Erkenntnis in mein Bewusstsein, dieser Alleingang könnte vielleicht doch keine so gute Idee gewesen sein. Nicht weil Trampen gefährlich werden könnte, sondern weil es hier schlicht unmöglich ist. In der ganzen Zeit, die ich hier herumlungere, habe ich nicht einmal einen streunenden Hund zu Gesicht bekommen, geschweige denn ein Auto. Und so stehe ich nun frierend am Rand der Straße, auf die ich nach einem reichlich ziellosen Marsch über einen matschigen Acker und durch ein kleines Wäldchen gestoßen bin. War ich anfangs noch sicher, dass irgendjemand mich bis zum nächsten Bahnhof mitnehmen könnte, hat sich diese Hoffnung inzwischen zerschlagen. Nun ist mir nur noch nach Losheulen zumute. Eigentlich wollte ich ja um diese Zeit fast schon wieder zu Hause sein, um endlich packen zu können und den nächsten Flieger nach L.A. zu kriegen.

Die Sehnsucht nach Laser legt sich wie eine Eisenkugel auf mein Herz. Ich sollte nicht hier sein, einsam und verloren – ich sollte mit Laser im Ozean schwimmen oder am Strand Lobster grillen. Dort, wo die Luft nach Salz und Meer riecht und dieser Geruch direkt in den Kopf steigt und einen schwindelig vor Glück macht, weil man weiß, es ist Sommer und man hat Ferien. Er würde den Arm um mich legen und sein Stuntmanvater, der seine abendliche Runde joggen ginge, würde Laser anerkennend zuzwinkern. »Ein tolles Mädchen, diese Marie«, würde er leise zu seinem Sohn sagen, gerade so laut, dass ich es hören könnte. Und Laser würde grinsen und mich noch enger an sich ziehen …

Aber stattdessen sitze ich immer noch in Tschechien fest und Laser aalt sich am Pool in der tollen Villa seines Vaters. Der Gedanke, dass er in den USA gerade Spaß haben könnte und vor allem: mit *wem* er gerade Spaß haben könnte – schließlich wimmelt es in L.A. bestimmt vor schönen Mädchen –, schnürt mir die Kehle zu. Seit er losgeflogen ist, habe ich nichts mehr von ihm gehört. Hat er mich schon vergessen? Und das, was im Raum neben der Turnhalle passiert ist? Ich muss nur die Augen schließen und schon sehe ich wieder jedes Detail vor mir: Lasers blaue Augen, die mich ansehen, die feinen blonden Härchen auf seinen Armen … und seine Stimme: »Du bist total süß, Marie …«

Es muss ihm was bedeuten, sonst hätte er es doch nicht so weit kommen lassen. Schließlich hat er mir vor dem Abflug noch eine SMS geschickt. »Schade, dass du nicht hier bist«, stand in etwa darin! Deswegen muss ich zu ihm.

Grimmig blicke ich mich in dieser Einöde um und beschließe, dass es jetzt reicht. Ich werde sofort meine Mutter anrufen, damit die mich aus dem Schlamassel holt. Irgendwie werde ich ihr die Sache schon erklären. Ice H. findet den Weg ja wohl allein nach Hause. Und morgen früh steige ich schnurstracks ins Flugzeug und erinnere Laser daran, dass er mich vermisst.

Als ich mein Handy einschalte, erscheint auch nach drei Minuten kein Balken, der anzeigt, dass ich Netz habe. Na toll, so ähnlich stelle ich es mir im Nirwana vor: kein Handynetz, keine Menschen, nichts. Nur meditatives Vogelgezwitscher. Fehlt nur noch, dass mir Buddha persönlich erscheint. Obwohl – dann wären wir wenigstens zu zweit!

Ich könnte schreien vor Frust. Plötzlich erscheint mir alles völlig sinnlos. Es ist, als würde ich in einen tiefen Schacht fallen, in dem alles nur noch dunkel ist. Keine Sehnsucht, keine Hoffnung, nur Leere. Wieso habe ich meine Urgroßeltern überhaupt besucht? Wieso wollte ich Geld, um zu Laser zu fliegen? Er macht sich doch sowieso nichts aus mir, sonst hätte er sich längst gemeldet.

Wie eine heiße, salzige Flut steigen mir die Tränen in die Augen. Was mache ich noch hier? Warum bin ich überhaupt auf der Welt, wenn das ganze Leben sowieso für die Katz und außerdem ziemlich beschissen ist? Am liebsten würde ich mich auf den Boden legen und nie mehr aufstehen. Kraftlos wie ein Läufer nach dem Halbmarathon gehe ich in die Hocke, falte die Arme um meine Knie und lege den Kopf darauf. Jetzt heule ich doch los – ist ja sowieso keiner da, der mich sieht.

Plötzlich höre ich das Brummen eines Motors, das immer lauter wird. Vielleicht ein Traktor oder Transporter, hoffe ich und rapple mich auf. Inzwischen würde ich sogar freiwillig mit einem Dutzend

Hühner oder zwanzig Schafen auf der Ladefläche sitzen – wenn ich nur hier wegkomme. Doch was da angetuckert kommt, ist kein Traktor. Sondern ein alter Mercedes. Mit deutschem Kennzeichen. Und am Steuer – die Nase fast an der Windschutzscheibe vor Kurzsichtigkeit – mein Urgroßvater. Der Wagen kommt neben mir zum Stehen. Das Fenster wird heruntergekurbelt.

»Steig ein. Weißt du, was ich mir für Sorgen um dich gemacht habe?«, bellt der alte Mann.

»Warum? Hattest du Angst, ich könnte vor Langeweile sterben?«, schieße ich zurück. Ich habe ihm noch nicht verziehen.

Ice H. schließt die Augen und holt tief Luft. »Motte«, sagt er betont ruhig, »steig ein. Wir sind aufeinander angewiesen, also bitte!«

Ich zögere noch einen Moment, aber er hat natürlich recht. Wenn ich Laser in diesen Ferien noch zu Gesicht kriegen will, muss ich so schnell wie möglich nach Hause. Auf eine Entschuldigung meines Urgroßvaters kann ich sowieso warten bis zum Jahre Schnee. Also reiße ich die Fahrertür auf und sage mit einer ironischen Verbeugung: »Dürfte *ich* dann bitte wieder fahren?« Wenn Ice H. weiter den blinden Steuermann spielt, landen wir nirgendwo anders als auf dem Acker, denke ich bissig, halte aber wohlweislich den Mund.

Ächzend quält sich der alte Mann aus dem Auto und steigt hinten ein, wo meine Urgroßmutter sitzt und die Szene fröhlich beobachtet.

»Wen haben wir denn da?«, singsangt sie und lacht übers ganze Gesicht.

»Ja, unsere Marie ist zurück«, antwortet Ice H. in den künstlich-fröhlichen Tonfall, mit dem man einen Versicherungsvertreter begrüßt, dem man insgeheim die Pest an den Hals wünscht.

Wider Willen muss ich grinsen, doch die alte Frau runzelt die Stirn. »Marie? Kenne ich nicht. Das ist doch Annele«, belehrt sie Ice H. von oben herab.

Resigniert stelle ich fest, dass sich in der Stunde meiner Abwesenheit nichts verändert hat. Es ist kein Wunder in Tschechien geschehen und meine Urgroßmutter hat immer noch die Gegenwart vergessen. Und Ice H. ist ... eben Ice H.

Ich lasse den Motor an und bin froh, dass unser gemeinsamer Trip in ein paar Stunden enden wird.

*

Wir sind noch etwa fünfzig Kilometer von der deutschen Grenze entfernt und fahren durch ein weiteres dieser öden Geisterdörfer. Zwischen dem holprigen Kopfsteinpflaster der Straße wächst Unkraut, die Häuser sehen ebenso schäbig aus wie der halb eingestürzte Dorfbrunnen. Wann die letzten Bewohner wohl endgültig aufgegeben haben und weggezogen sind?

Desinteressiert lasse ich meinen Blick an der abgeblätterten Fassade eines Hauses entlangwandern, als ich auf einmal ein leises Zischen vernehme. Ehe ich orten kann, woher das Geräusch kommt, taucht weißer Nebel auf und erschwert mir die Sicht. Mein erster Gedanke ist: Woher zum Geier kommt mitten am Nachmittag plötzlich Nebel?

Das Zischen wird stärker und Ice H. auf dem Rücksitz sagt scharf: »Halt sofort an! Motor aus!«

Ich gehorche reflexartig. Die Sache wird mir unheimlich. Sein Tonfall klingt derart angespannt, dass mein Herz anfängt, schneller zu klopfen. »Was ist denn los?«, frage ich eingeschüchtert und merke, wie dünn und ängstlich meine Stimme klingt.

»Der Kühler ist überhitzt und das Kühlerwasser verdampft – das siehst du doch. Zum Kuckuck, was bringt man euch jungen Leuten eigentlich heutzutage noch bei?«, raunzt Ice H., während er die hintere Türe öffnet und sich aus dem Wagen wuchtet.

Die Urgroßmutter ist wieder eingeschlafen – zum Glück. Weiß der Himmel, in welches Paralleluniversum die alte Frau sonst wieder abdriften würde. Ich geselle mich zu meinem Urgroßvater und beobachte aus sicherer Entfernung, wie immer noch heißer Dampf aus dem Motorraum emporsteigt.

»Du bleibst hier und passt auf Liesel auf. Ich sehe zu, dass ich irgendwo Wasser finde«, kommandiert Ice H. und öffnet den Kofferraum, aus dem er einen verschrammten Plastikkanister kramt. Seufzend blicke ich ihm nach und wickle mich frierend in meinen Pulli. Ich beschließe, es noch einmal mit meinem Handy zu versuchen und Nika eine SMS zu schreiben. »süße, stecke hier fest. alles scheiße, wish u were here, XXX, m.«

»Senden der Nachricht fehlgeschlagen.« Na toll, immer noch kein Netz. Willkommen in der Steinzeit namens Tschechien.

Unvermutet nähert sich nun ein heller Schatten, der sich beim Näherkommen als silbergrauer Wagen entpuppt. Erleichtert stecke ich das Handy weg und winke. Egal wer, egal welche Sprache, wenigstens sind wir hier nicht mehr die einzigen Menschen weit und breit. Und vielleicht kann der Fahrer oder die Fahrerin uns ja helfen.

Das Auto drosselt seine Geschwindigkeit. Jetzt kann ich erkennen, dass es blau-gelbe Streifen hat und an der Seite unübersehbar der Schriftzug »Policie« prangt. Oh Shit. Sofort fällt mir ein, dass Ice H. nicht für das »begleitete Fahren« in meinem Führerschein eingetragen ist. Mir wird ganz heiß. Hoffentlich fragen die Bullen nicht danach.

Das Polizeiauto hält und spuckt zwei Beamte in blauen Hemden und mit weißen Polizeimützen aus. Sie mustern das deutsche Kennzeichen von Ice H.s Uralt-Mercedes, dann mich. Ich setze ein strahlendes Lächeln auf, das mir aber etwas verrutscht, wie ich selbst merke. Wahrscheinlich sehe ich nicht aus wie ein hilfsbedürftiges Mädchen, sondern wie der weiße Hai. Denn beide Polizisten verziehen keine Miene.

»Unfall?«, fragt der eine. Wenigstens spricht er ansatzweise Deutsch.

»Äh, nö, nur kein Kühlerwasser«, erkläre ich und untermale mit Zischlauten und einer pantomimischen Einlage, was das Problem ist.

»Mein Urgroßvater ist Wasser holen, da!« Ich zeige mit dem Finger in die Richtung, in die Ice H. verschwunden ist.

Die beiden Beamten wechseln leise und schnell ein paar tschechische Sätze. Ich stehe etwas blöd daneben und hoffe, dass die beiden keinen Ärger machen. In dem Moment taucht mein Urgroßvater am Horizont auf. Irgendwo hat er tatsächlich Wasser aufgetrieben, denn der Kanister ist voll. Als Ice H. die zwei Polizisten sieht, stockt er kurz, dann hinkt er aber energisch näher.

»Problem?«, fragt der eine Beamte ihn und weist mit dem Kopf auf den Mercedes.

»Wasser ist aus«, antwortet der alte Mann knapp und hält zum Beweis den gefüllten Kanister hoch. Dann öffnet er die Motorhaube. Die Beamten helfen ihm, das Wasser in den inzwischen erkalteten Kühler einzufüllen.

»Familie?«, fragt der zweite Polizist schon etwas freundlicher und zeigt auf mich und die schlafende Urgroßmutter im Wagen.

»Ja, meine Frau. Und meine Urenkelin«, sagt Ice H. und ich glaube tatsächlich einen Anflug von Stolz in seiner Stimme zu hören. Um bei den Polizisten gut Wetter zu machen, nicke ich eifrig ein paar Mal mit dem Kopf wie ein Wackeldackel und grinse möglichst familiär-zugehörig, wie ich hoffe.

Auch die beiden nicken und grinsen.

Ich atme auf.

Und just in dem Moment geht die hintere Tür auf und meine Uroma schält sich mit verwirrtem Blick aus dem Wagen. »Wo bin ich?«, fragt sie mit zitternder Stimme.

Ice H. ist mit zwei Schritten bei ihr. »Alles gut, Liesel«, sagt er beruhigend, doch da entdeckt die alte Frau die beiden Beamten.

»Guten Tag«, sagt der eine freundlich.

Doch ihr Gesicht verzerrt sich. »Mörder!«, spuckt sie den Beamten entgegen. »Mörder, Verbrecher, verdammt sollt ihr sein!«

Bitte nicht, denke ich entsetzt. Das läuft hier in die völlig falsche Richtung.

Ice H. nimmt seine Frau am Arm. Entschuldigend wendet er sich an die zwei: »Tut mir leid. Meine Frau ist ... krank, wissen Sie?«

Ice H. versucht, seine Frau zurück auf den Rücksitz zu bugsieren, aber die wehrt sich energisch: »Aufhören! Wer sind Sie, was wollen Sie von mir?«, röhrt sie und versucht, ihren Arm aus Ice H.s Griff zu befreien.

Die Polizisten haben sich von ihrer Verblüffung erholt. Bei den Worten der Urgroßmutter runzeln sie verständnislos die Stirn. Der eine geht auf Ice H. zu und blafft: »Sie sagen, das Ihre Frau! Aber Frau kennt Sie nicht!« Misstrauisch mustert er den Urgroßvater von oben bis unten.

Da beschließe ich, einzugreifen. »Meine Uroma hat Demenz. Sie ist vergesslich, verstehen Sie? Hier ... im Kopf!« Ich lasse meinen Finger an der Schläfe kreisen, um das Problem der alten Frau zu verdeutlichen.

Doch das scheint die Polizisten nicht zu überzeugen. Während der eine nach seinem Funkgerät greift und offenbar das Kennzeichen durchgibt, richtet der andere einen stählernden Blick auf Ice H. »Papiere!«, fordert er und seine Stimme klingt nun gar nicht mehr freundlich.

Ice H. seufzt, bevor er gehorsam eine abgewetzte Ledermappe aus dem Handschuhfach kramt. Seine Frau hat sich auf dem Rücksitz verkrochen und mal wieder mit ihrer stummen Schaukelei begonnen. Ice H. drückt dem einen Polizisten den Fahrzeugschein in die Hand. Der Beamte vertieft sich darin.

»Würdest du ihnen deinen Führerschein geben«, bittet er mich.

»Spinnst du?«, zische ich. »Du bist bei mir nicht als offizieller Beifahrer eingetragen! Ich hab doch nur die Erlaubnis für begleitetes Fahren! Du musst ihnen *deinen* Führerschein geben und behaupten, *du* hast am Steuer gesessen!«

Einen Moment lang blickt er mich ratlos an, ehe er zu Boden starrt und die Lippen aufeinanderpresst. Als er wieder aufsieht, hat er einen Gesichtsausdruck wie ein Kater, den man beim Futterklau erwischt hat. Tatsächlich klingt er auch ein wenig schuldbewusst, als er leise sagt: »Ich habe keinen Führerschein mehr.«

»Was?«, schreie ich auf. Als einer der Beamten daraufhin misstrauisch zu uns rüberguckt, dämpfe ich meine Stimme: »Wieso das denn?«

»Mein steifes Knie. Und … na ja, meine Augen machen auch nicht mehr mit. Vor einem halben Jahr habe ich einen Hydranten gerammt. Danach hieß es, ich sollte besser nicht mehr Auto fahren.«

Auf gut Deutsch: Sie haben Ice H. den Lappen entzogen, weil er gefahren ist wie ein blinder Ferrari-Pilot. Und trotzdem hat er sich noch hinters Steuer gesetzt. Einmal, um mit mir zum Pflegeheim zu fahren, und vor Kurzem, als ich abgehauen bin.

Ich kneife die Augen zusammen und wünsche ein Ufo herbei, das mich mitnimmt. Lieber mit einem Dutzend Aliens im Weltraum als hier in der tschechischen Einöde mit meinem führerscheinlosen Anarcho-Urgroßvater, meiner verrückten Urgroßmutter und zwei Polizisten, die uns wahrscheinlich gleich in die Mangel nehmen.

Der mit dem Fahrzeugschein kommt jetzt zu uns rüber und streckt auffordernd die Hand aus. »Papiere«, wiederholt er und mir bleibt nichts anderes übrig, als den Geldbeutel mit dem Führerschein aus meiner Tasche zu kramen. Der Beamte geht zu seinem Kollegen, der am Polizeiwagen steht und das Funkgerät in der Hand hält. Die beiden reden leise miteinander, dann hebt der Beamte das Funkgerät an den Mund und spricht hinein.

»Super hingekriegt, Urgroßvater, echt!«, kann ich mir nicht verkneifen.

»Kann ich ahnen, dass du nur diesen komischen Probeführerschein hast?«, raunzt er zurück.

»Hallo, ich bin erst 17! Das wüsstest du, wenn du dich mal 'n bisschen für mich interessieren würdest, anstatt nur dauernd an mir rumzumeckern!«, gebe ich patzig zurück.

»Wie kann ich ›ständig an dir rummeckern‹, wenn ich dich nie zu Gesicht bekomme? Du lässt dich doch kaum blicken und wenn, dann hast du eigentlich gar keine Lust, uns zu besuchen. Glaubst du, ich bin blind?«, schnaubt Ice H. und ich fühle mich ertappt.

Trotzdem bin ich nicht bereit, jetzt nachzugeben. »Ach ja und warum hab ich keinen Bock? Weil du mich von Anfang an nicht leiden konntest. Dauernd hattest du was an mir auszusetzen! Schon als ich noch ganz klein war! Später haben dir meine Klamotten nicht gepasst, blablabla. Wenn ich was gesagt habe, war ich frech, wenn ich nichts gesagt habe, war ich bockig. Ich hab's dir doch nie recht machen können!« Heftig fahre ich mir über die Nase, ich will auf keinen Fall jetzt die Heulboje geben.

Da fühle ich auf einmal Ice H.s Hand auf meiner Schulter. »Motte«, sagt der alte Mann und seine Stimme klingt nicht mehr sauer, sondern traurig. »Motte, es stimmt doch nicht, dass ich dich nicht leiden kann! Ich hab den lieben Gott immer gebeten, dass er mich das noch erleben lässt – einen Urenkel im Arm zu halten, ehe ich sterbe. Und dann bist du auf die Welt gekommen und ich habe mich so gefreut! Dass ich dich manchmal kritisiert habe ... herrje ... ich wollte eben nicht, dass du auf die schiefe Bahn gerätst mit deinen geschminkten Augen und dieser freizügigen Kleidung«, erklärt er.

Freizügige Kleidung? Ich bin verwirrt. Das Einzige, was ich je getragen habe, waren im Sommer mal Shorts und Flipflops.

Gerade will ich eine entsprechend bissige Antwort geben, da fährt er fort: »Ich wollte dich doch nur ... ja, ich wollte dich beschützen. Du bist doch mein Fleisch und Blut.«

Mir klappt der Mund auf. Mein Urgroßvater hat sich Sorgen um mich gemacht? Aus Zuneigung? Ich kann es nicht fassen.

Aber der alte Mann klingt so aufrichtig, dass ich fühle: Er sagt die Wahrheit. Und in diesem Moment lösen sich mein ganzer Frust und die Enttäuschung über diesen Urgroßvater auf einen Schlag auf. Und machen einem Gefühl Platz, dass mir Tränen in einem wahren Sturzbach aus den Augen laufen. Der ganze Kummer über Laser und die Anspannung der letzten Tage bricht aus mir heraus und ich schluchze auf.

Mein Urgroßvater nimmt mich in die Arme. Wortlos drückt er meinen Kopf an seine Schulter und innerhalb von Sekunden heule ich ihm den Hemdkragen nass. Ich kann nicht anders und erzähle ihm, dass ich in Laser verliebt bin und er mir nur eine SMS geschickt hat, bevor er nach Amerika geflogen ist. Und jetzt muss ich auch dahin und ihn wiedersehen und nur deswegen bin ich mit dem Zug zu ihnen gefahren. Dafür brauche ich die 600 Euro und es tut mir leid, weil ich am Anfang nicht wegen ihnen, sondern nur wegen der Kohle gekommen bin, und dass ich mich vor seinem neunzigsten Geburtstag gedrückt habe ...

Ice H. lässt mich reden und heulen. Er tätschelt mir dabei nur leicht den Rücken.

Mit einem letzten Schniefen und einem gemurmelten »Tut mir leid« beende ich schließlich meinen tränenreichen Monolog. Wären wir im Theater, müsste ich für meine Darbietung jetzt Standing Ovations erhalten.

Ice H. mustert nur meine verquollenen Augen, ehe er sagt: »Es muss dir nicht leid tun. Auch wenn es nur wegen des Geldes war, du hast mehr für mich getan, als du dir vorstellen kannst.«

»Aber ...«, stottere ich beschämt, »es hat doch nichts gebracht. Oma ist schlimmer dran als vorher und du hast auch noch erfahren, was ihr damals passiert ist. Und ich bin daran schuld, also hab ich doch nichts für dich getan!«

Mein Urgroßvater schüttelt den Kopf und sagt ernst: »Motte, erstens ist es nicht deine Schuld, dass ich von dieser schlimmen Sache erfahren habe, und zweitens ...«, er stockt kurz und reißt sich sichtlich zusammen, ehe er fortfährt. »Ich wollte nicht sehen, wie es tatsächlich um meine Liesel steht. Ich wollte nicht wahrhaben, dass ich einfach nicht mehr an sie herankomme und ihr nicht helfen kann. Ich habe geglaubt ... also, ich hab mir gewünscht, dass wieder alles wird wie früher, wenn ich sie an einen Ort bringe, wo sie glücklich war. Ich habe mich geirrt – und zwar in jeder Hinsicht.«

Ich kann meinen Urgroßvater nur stumm anstarren.

Er sieht mich an, Schmerz steht in seinen Augen. Doch er lächelt und sagt: »Aber wie sagt man? Wenn sich eine Tür schließt, öffnet sich eine andere. Und das bist du. Ich hab dich endlich mal kennengelernt.« Ice H. schmunzelt. »Du kannst genauso stur sein wie ich, aber du hast auch eine Menge Mumm in den Knochen. Du bist ein feines Mädchen. Und das zu sehen, das war die Reise wert.«

Ich kann nichts sagen. Vor lauter Rührseligkeit schnürt es mir die Luft ab. Dass ich so was mal aus dem Mund meines Urgroßvaters höre, hätte ich im Leben nicht gedacht. Gerade als ich überlege, ihn jetzt im Gegenzug in den Arm zu nehmen – so richtig schön Hollywood-Familienkino-Happy-End-mäßig – tippt mir jemand auf die Schulter.

Ich drehe mich um und starre direkt in die unbewegliche Miene des tschechischen Polizisten. Mit strenger Stimme sagt er: »Führerschein nicht okay! Sie jetzt alle mitkommen – auf Polizeistation!«

Kapitel 10

Geplatzte Träume

Wenigstens habe ich endlich mit meiner Mutter telefonieren können. Die hat zwar beinahe der Schlag getroffen, als sie hörte, wie – und vor allem wo – der angeblich harmlose Familienausflug mit den Urgroßeltern geendet hat. Aber sie hat versprochen, sich sofort ins Auto zu setzen und auf das Revier zu kommen, um uns abzuholen. Mit Jo, schließlich müssen wir auch noch Ice H.s Mercedes zurückfahren. Einzig, als ich in einem Anfall von Endzeithumor meinte, *ich* könnte mich in ihrem Wagen ans Steuer setzen – immerhin ist meine Mutter ja als rechtmäßige Beifahrerin eingetragen –, wurde sie kurz sauer. Ich zog es daraufhin vor, das Telefonat zu beenden.

Jetzt sitzen Ice H. und ich wie zwei arme Sünder auf einer harten Bank in einem kahlen Zimmer des Polizeireviers und können nichts anderes tun, als zu warten. Meine Urgroßmutter hat von einem herbeigeholten Arzt ein leichtes Beruhigungsmittel verabreicht bekommen, nachdem sie sich geweigert hatte, aus Ice H.s Auto auszusteigen. Als die Beamten sie behutsam am Arm gefasst hatten, hatte sie wieder einen ihrer Tobsuchtsanfälle gekriegt. Die rechte Hand auf seine blutende Nase gepresst, hatte sich der eine Polizeibeamte aus der offenen Autotür zurückgezogen. Der andere hatte zum dritten Mal sein Funkgerät konsultiert. Beide hatten ausgesehen, als hätten sie von dem Trio aus Deutschland langsam die Nase voll.

169

Jetzt schläft die alte Frau auf einer Liege in einem der Büroräume und wir Übriggebliebenen sind zum Nichtstun verdonnert. Mein Urgroßvater scheint in Gedanken versunken und auch mein Kopf findet keine Ruhe. Immer wieder sehe ich Adas Gesicht vor mir, wie sie mir die Geschichte meiner Urgroßmutter erzählt. Und dazu tönt im Hintergrund mit enervierender Hartnäckigkeit die Melodie des tschechischen Kinderliedes. Ich halte es nicht mehr aus.

»Du, Urgroßvater ...«, fange ich an, stocke dann aber, weil ich nicht weiß, ob meine Frage wirklich klug ist oder ob ich den alten Mann damit nur wieder aufrege.

Doch der ist aus seinen Gedanken gerissen und sieht mich erwartungsvoll an.

»Hast du gewusst, dass der Vater von Oma ein hochrangiger Parteifunktionär war?«, wage ich einen Vorstoß.

Er schweigt ein paar Sekunden, ehe er nickt. »Liesel hat es einmal erwähnt. Als ich sie gefragt habe, ob ihr Vater im Krieg gefallen ist. Da hat sie geantwortet, dass die Russen ihn geholt haben. Mehr brauchte sie nicht zu erzählen, man wusste, was die Besatzer mit solchen Leuten gemacht haben. Und danach haben wir nie mehr darüber geredet. Wir wollten nach dem Krieg nach vorn schauen.« Der alte Mann verstummt und starrt auf den billigen Linoleumboden unter seinen Füßen.

Ich weiß nicht, was ich sagen soll.

Unvermittelt hebt er wieder den Kopf und blickt mir direkt in die Augen. »Nicht alle waren damals böse oder schlecht, Motte. Am Anfang waren wir überzeugt, das Richtige zu tun, den richtigen Mann zu wählen. Hitler hat uns versichert, er holt unser Land aus der Armut und gibt allen Arbeit. Und er war überzeugend! Oh ja, das konnte er: reden und die Menschen für sich gewinnen. Ich habe ihn einmal persönlich erlebt, als er vor dem Rathaus gesprochen hat. Die Leute haben ihm zugejubelt und es war so, als ob er uns alle hypnotisieren würde. Auf einmal hat sich jeder stark gefühlt, es war so eine Gemeinschaft da, verstehst du? Und vorne stand Hitler und schien genau zu wissen, wo es langgeht. Alle haben wir auf ›unseren Führer‹ vertraut. Heute würde man wahrscheinlich sagen, er war unser Star«, erklärt er und spricht dabei das letzte Wort wie den Namen des gleichnamigen Vogels aus. »Wir hätten ihm damals nie etwas Falsches zugetraut!«

Genau wie ich Laser, schießt es mir durch den Kopf. Einen Moment später verurteile ich mich dafür. Spinne ich eigentlich? Was bitte schön hat Laser mit Hitler gemeinsam?

Mein Urgroßvater spricht inzwischen weiter: »Dass er gegen die Juden, gegen die Ausländer und überhaupt alle, die nicht ›arisch‹ waren, gehetzt hat … Gott, ja … das fanden wir damals nicht so schlimm. Wir dachten sogar, manche hätten es verdient.«

Auf meinen offenbar ungläubigen Blick hebt er stumm die Hände. Es ist eine entschuldigende Geste, ehe er fortfährt: »Was wirklich passiert ist, davon haben wir ja lange nichts gewusst! Erst als die Synagogen brannten und jüdische Familien über Nacht wie vom Erdboden verschluckt waren, da wurden einige von uns stutzig. Aber da steckten alle schon zu tief drin: die meisten in der NSDAP, einige bei der SS, die Kinder in der HJ oder im Bund Deutscher Mädel. Einzig ein Nachbar von mir hat sich getraut, beim Gemeindetreffen nachzufragen, was mit Aaron Kirschenbaum von gegenüber und dessen Familie passiert ist. Er hat sich nicht abspeisen lassen und immer wieder nachgebohrt, auch im Wirtshaus redete er darüber. Drei Tage später wurde er von der Gestapo geholt. Ich weiß bis heute nicht, was aus ihm geworden ist. Ein paar Monate darauf wurde ich eingezogen.« Mein Urgroßvater verstummt und reibt sich mit beiden Händen heftig übers Gesicht.

Ich muss an Pavel denken und wie er bei der Klassenfete von der Schubert und dem Vogel aus der Turnhalle geführt wurde. Da hat auch keiner was gesagt. Schnell versuche ich, mich auf etwas anderes zu konzentrieren, aber ich kann nicht verhindern, dass sich der Gedanke in meinem Kopf breitmacht: Weil Laser der

Star der Schule ist, hat keiner den Mund aufgemacht. Alle haben sich geschlossen hinter ihn gestellt. Und ich war keine Ausnahme. Gleich darauf will ich diesen Gedanken am liebsten verdrängen. Ich wollte doch nicht mehr über diesen Abend nachdenken – jetzt, da Laser sich endlich für mich interessiert.

»Du bist die Einzige, die die Prügelei auf dem Handy hat«, flüstert das leise Stimmchen in meinem Unterbewusstsein.

Ich verziehe das Gesicht, als hätte ich Zahnweh, und verordne mir, im Geiste von eins bis hundert zu zählen, um diese lästige Stimme ein für alle Mal zum Verstummen zu bringen.

Urgroßvater Hermann mustert mich besorgt. Anscheinend bezieht er meine gequälte Miene auf sich, denn plötzlich sagt er klar und deutlich: »Ich weiß, ich war feige. Aber nach der Sache mit meinem Nachbarn hab ich mich nicht mehr getraut aufzumucken. Ich hatte Angst, dass mir dasselbe passiert wie ihm.«

Dass dieses Eingeständnis die Sache für mich nicht besser macht – ich bin inzwischen mit meiner stummen Zählerei bei 38 angekommen –, kann er nicht wissen. Trotzdem reagiere ich gereizt, denn Ice H. ist schuld, dass ich jetzt an Pavel denken muss. Was der nach dem Schulverweis wohl macht? An eine andere Schule wechseln? Nicht so einfach, wenn man den Ruf hat, ein Schläger zu sein. Unwohl beiße ich mir auf die Lippen.

Der alte Mann blickt mich weiter an. »Hass lässt nicht mehr viel Menschliches übrig, Motte. Damals wurden die Völker systematisch gegeneinander aufgehetzt. Und im Krieg, da war keiner besser als der andere.«

Ich weiß, wie viel Kraft es ihn kostet, das zuzugeben. Daher nicke ich wortlos und drücke nur leicht seinen Arm. Insgeheim wünsche ich mir, er möge endlich aufhören. Ausgerechnet Ice H., der die »früheren Zeiten« bisher stets mit einem unwirschen Satz abgetan oder mich mit dem Standardspruch gedeckelt hat, die Vergangenheit müsse man ruhen lassen. Ausgerechnet er spricht jetzt Wahrheiten aus, die ich lieber nicht hören würde. Daher nehme ich ihm seine Ehrlichkeit übel, ja, ich werde regelrecht wütend auf meinen Urgroßvater.

»Weil du nicht so ehrlich bist, stimmt's? Denn wenn du's wärst, müsstest du zugeben, dass du auch ein Feigling bist, weil du Laser deckst und zulässt, dass Pavel ans Messer geliefert wird!« Da ist sie wieder: die kleine Unruhe stiftende Stimme tief in mir drin. Sie lässt sich einfach nicht abstellen.

»Ich will nichts mehr hören, okay?«, flüstere ich und es ist nicht einmal mir klar, wen ich damit meine – meinen Urgroßvater oder mein Gewissen.

*

Dreieinhalb Stunden und vier dünne Kaffees in labberigen Plastikbechern später ist meine Mutter da. Jo muss wie ein Henker gefahren sein. Es dauert knappe 45 Minuten, bis sämtliche Formalitäten erledigt sind und wir das tschechische Polizeirevier verlassen dürfen. Die Urgroßmutter ist von dem Beruhigungsmittel noch ziemlich benebelt. Sobald sie im Auto sitzt, fallen ihr schon wieder die Augen zu. Während Jo allein mit dem Auto meiner Mutter zurückfährt, kutschiert meine Mutter die zwei alten Leute und meine Wenigkeit in Ice H.s Mercedes nach Hause. Wir reden nicht viel miteinander und sie stellt – sehr untypisch – keine Fragen.

Ice H. hat gleich, als sie auf dem Polizeirevier aufgetaucht ist, gesagt, dass er für alles die volle Verantwortung übernimmt. Dann haben die Beamten eine Weile mit ihm und meiner Mutter gesprochen und zum Schluss habe ich noch zweimal irgendwas unterschreiben müssen. Mir war egal, was es war. Ich habe mich nicht mal erkundigt, was für ein Nachspiel das Fahren ohne eingetragenen Beifahrer haben würde. Es interessiert mich nicht. Immer wieder muss ich an den Satz meines Urgroßvaters denken, den er im Flur des Polizeireviers gesagt hat, ehe er meiner Aufforderung, ich wolle nichts mehr hören, nachgekommen ist. Er hat mich nicht angesehen, sondern die Plakate mit Phantombildern und Drogenwarnungen gemustert, ehe er leise gesagt hat: »Glaubst du, die russischen Soldaten wussten nicht, was sie taten? Und glaubst du, das war nicht beabsichtigt? Die haben doch genau gewusst, dass sie nichts zu befürchten hatten. Weil die Frauen über das, was ihnen angetan wurde, eisern schwiegen – um nicht als Flittchen dazustehen ... Und deswegen hat deine Uroma mir gegenüber auch nie ein Wort darüber verloren. Selbst nach sechzig Jahren Ehe nicht.«

Jetzt im Auto, als es nichts mehr zu sagen und kein Entkommen gibt und seine Worte immer und immer wieder in meinem Kopf nachhallen, muss ich mir eingestehen: Auch bei der Schlägerei auf der Klassenfete hat keiner was gesagt. Alle haben den Mund gehalten, ganz selbstverständlich. Weil Pavel nur ein ausländischer Mitschüler ist, der uncoole Klamotten trägt und nicht mal richtig Deutsch spricht. Wen interessiert es, wenn »so einer« gemobbt wird und sich eben auch mal eine fängt? Wie hat mein Urgroßvater vorhin gesagt: »Das fanden wir damals nicht so schlimm.« Daran hat sich bis heute offenbar nicht viel geändert. Habe nicht auch ich Laser in Schutz genommen, weil Pavel – der »Polen-Pavel« – sowieso »komisch« ist und von Anfang an nicht dazugehört hat? Ich erinnere mich, dass ich Urgroßvater noch vor Kurzem insgeheim für einen feigen Mitläufer gehalten habe. Bin ich denn einen Deut besser? Habe ich etwa die Heldin gespielt und die Wahrheit gesagt?

Aber ich hab es aus Liebe getan, versuche ich, mich vor mir selbst zu rechtfertigen. Und außerdem geht es nur um einen Schulverweis und nicht um Krieg und Tod und ... überhaupt ist das was ganz anderes!

Doch diese Ausrede klingt selbst in meinen Ohren faul. Auch damals haben die Leute gedacht, sie handeln richtig und haben alle möglichen Schweinereien ignoriert. Nur gab es da noch keine Handys mit Filmfunktion. Ob ich will oder nicht: Die Einzige, die beweisen kann, wie die Sache auf der Klassenparty wirklich abgelaufen ist, bin ich. Auch wenn der Schuldige der Junge ist, in den ich verliebt bin. Mit dem ich geschlafen habe. Weil er sich nach der Fete auf einmal für mich interessiert hat. Nach der Fete. Auf einmal. Nachdem ich ihn gefilmt habe. Und dabei beobachtet wurde. Auf einmal wird das verschwommene Bild scharf, als hätte ich bei einer Digitalkamera die Autofokus-Funktion aktiviert: Laser hat es gewusst. Er hat gewusst, dass ich seit Langem in ihn verknallt bin. Und nachdem Tobi mich auf der Feier mit dem Handy gesehen und es ihm erzählt hatte, hat er beschlossen, mich davon abzuhalten, die Wahrheit zu sagen. Also hat er sich an mich rangemacht. Deswegen hat er mich ins Eiscafé eingeladen. Aber spendierter Espresso und ein bisschen nettes Gequatsche haben nicht ausgereicht, denke ich bitter. Daher hat Laser härtere Geschütze aufgefahren: den Kuss im Schulflur und dann den Sex im Turnhallenraum.

So weh mir die Erkenntnis tut, so fest überzeugt bin ich: Laser setzt darauf, dass ich schweige – über die Klassenfete und seine Rolle bei der Schlägerei mit Pavel. Denn wenn ich jetzt mit der Wahrheit herausrücke, erzählt er garantiert in der ganzen Schule herum, dass er mit mir gepoppt hat. Und vor allem: wo. Und vielleicht fügt er ganz lässig hinzu, dass ich langweilig war. Oder verklemmt bin. Oder beides.

Bei diesem Gedanken wird mir heiß vor Scham. Die ganze Oberstufe wird über mich Bescheid wissen! Hämische Blicke, Getuschel und anzügliche Sprüche werden mich begleiten, bis ich in einem Jahr endlich mein verdammtes Abizeugnis in der Hand halte. Wie konnte ich nur so lange so blind sein? Ich weiß nicht, was mir gerade mehr ins Herz fährt: der Schmerz über den Verrat oder der Kummer, weil mich Laser nicht liebt. Denn *ich* habe mit ihm geschlafen, weil ich mit Haut und Haaren, im Kopf und im Herzen in ihn verliebt war. War? Oder bin? Ich vergrabe den Kopf in den Händen und wünsche mir, nicht mehr denken und nichts mehr fühlen zu können. Und vor allem: nie mehr in die Schule gehen zu müssen.

*

Mitten in der Nacht sind wir endlich zu Hause. Meine Mutter hat darauf bestanden, dass die Urgroßeltern bei uns übernachten. Ich habe freiwillig mein Zimmer an die beiden alten Leutchen abgegeben und mich auf der Couch im Wohnzimmer sofort unter der Decke verkrochen. Aber ich kann nicht schlafen. Als hätte ich zwei Liter Kaffee und noch ein paar Dosen Energydrinks gekippt. Mein Herz springt wie ein wild gewordenes Rumpelstilzchen zwischen meinen Rippen umher. Ständig muss ich an Laser denken. Und immer, wenn ich seinen zärtlichen Blick im Geräteraum vor mir sehe, schiebt sich das Bild dazwischen, wie er Pavel vom DJ-Pult aus fertigmacht, ehe er ihm eine verpasst. Ich stülpe mir das Kissen über den Kopf, aber es hilft nichts. Schließlich stehe ich auf und hole mein Handy, das immer noch in meiner Jackentasche steckt. Seit dem missglückten Versuch in Tschechien, irgendwen zu erreichen, habe ich es nicht mehr eingeschaltet. Jetzt tippe ich die PIN ein und das Display leuchtet auf. Es piept dreimal: zwei SMS und eine neue Nachricht auf der Mailbox. Unwillkürlich klopft mein Herz schneller, als ich die SMS öffne.

Nachricht 1: »mausi, wo bist du? hast du die kohle vom alten gekriegt?? meld dich mal, X nika«

Nachricht 2: »motte!!!! pleeeeease! meld dich, hab langsam schiss!!! n.«

Ich seufze und tippe rasch eine Antwort-SMS. Dass ich wieder zu Hause bin und mich melde.

Dann wähle ich meine Mailbox an. Die mechanische Stimme sagt: »Sie haben eine neue Nachricht. Hier Ihre neuen Sprachnachrichten!« Gespannt beiße ich mir auf die Innenseite der Wangen: Ob Laser vielleicht doch …?

176

»Hallo Motte, hier ist Mama. Ich wollte nur mal hören, ob mit euch alles okay ist. Grüß Oma und Opa von mir!«

Es folgen ein Piepton und die monotone Ansagerstimme: »Empfangen: Gestern-elf-Uhr-ein-und-zwanzig.«

Dreck, denke ich wütend und knalle frustriert mein Handy auf die Bettdecke. Keine SMS und kein Anruf von Laser. Inzwischen müssten doch sämtliche Handys USA-tauglich sein, oder nicht? Vorsichtshalber scrolle ich noch mal sämtliche Kurznachrichten durch. Es ist, als würde ich eine Schneeflocke in der Wüste suchen – das Resultat ist nämlich null. Desillusioniert lasse ich den Kopf hängen.

Wie von allein findet mein Finger den Video-Button und ehe ich darüber nachdenken kann, drücke ich drauf. Da ist wieder Laser am DJ-Pult mit Pavel, er stürmt auf ihn zu und verpasst Pavel einen Schlag ... Ich kneife die Augen zusammen und drücke hastig auf »Stopp«. Bin ich eigentlich bescheuert, warum sehe ich mir das Zeug immer und immer wieder an? Will ich mir Laser auf diese Art abgewöhnen? Oder ihn mit diesem Filmchen an mich binden, nach dem Motto: Guck mal, was ich weiß und aus Liebe zu dir nicht verrate? Ich zögere, mein Zeigefinger schwebt über dem Delete-Knopf.

Ich drücke ihn nicht. Stattdessen lasse ich den Film im Speicher und gehe zu der Funktion »SMS schreiben«. Wie unter Hypnose gebe ich Lasers Handynummer ins Feld »Empfänger« ein und tippe: »miss u«. Eine Sekunde Zögern, dann drücke ich auf »Senden«.

*

Am nächsten Morgen – nach gefühlten zwei Stunden Schlaf – wache ich von ungewohntem Lärm auf. Ich erkenne die Stimme meiner Mutter und den aufgebrachten Bass von Urgroßvater Hermann. Dazwischen ein Schrei – die Urgroßmutter. Mit wirrem Haar und schlafverklebten Augen springe ich von der Couch. Mein Spiegelbild, das ich in unserem Glasschrank nur flüchtig sehe, zeigt ein Wesen, das aussieht, als stamme es aus dem Film *Edward mit den Scherenhänden*. Doch das ist mir egal, eilig stolpere ich in die Küche.

Dort herrscht Chaos: Eine Milchtüte liegt auf dem Boden, die ausgelaufene Flüssigkeit bildet einen weißen See auf dem rotbraunen Terrakottaboden. In der Lache schwimmen die Scherben einer blauen Kaffeetasse. Meine Urgroßmutter steht da, von ihrer linken Hand tropft ein klein wenig Blut. In der rechten hält sie unerklärlicherweise einen Besen, mit dem sie meine Mutter auf Abstand hält, indem sie immer wieder nach ihr schlägt, sobald die sich ihr nähern will. Meine Mutter und mein Urgroßvater sind offenbar mitten in einer hitzigen Diskussion, als ich reinplatze.

»Was ist denn hier los?«, unterbreche ich das Szenario.

Sofort wirft die alte Frau den Besen weg und stürzt auf mich zu. »Annele, da bist du ja, Gott sei's gedankt«, ruft sie und umarmt mich so stürmisch, dass ich fast hinfalle.

Als ich zu meiner Mutter blicke, sehe ich ihren verdutzten Gesichtsausdruck. Klar, sie hat ja keine Ahnung, was in den vergangenen drei Tagen passiert ist.

»Sie hält mich für ihre jüngere Schwester Annele«, erkläre ich, während ich der Urgroßmutter, die sich immer noch an mich klammert, beruhigend über den Rücken streiche.

»Siehst du«, sagt meine Mutter zu Urgroßvater Hermann, »genau das meine ich. Sie ist einfach nicht mehr in der Lage, sich zu orientieren! Und wenn man ihr helfen will, wird sie aggressiv.« Sie deutet auf die Milchpfütze und die Scherben.

»In dieses Heim kommt sie trotzdem nicht mehr zurück, dafür werde ich sorgen. Dort behandelt man sie wie ein lästiges Stück Fleisch, das dulde ich nicht«, faucht Urgroßvater Hermann.

Meine Mutter atmet tief durch, anscheinend dreht sich die Diskussion schon eine Weile um dieses Thema. »Opa, ich hab dir gesagt, ich kenne eine gute Pflegestation in der Nähe. Es ist dieser große Klinikkomplex am Stadtrand. Die nehmen Alzheimer-Patienten auf. Oma braucht nun mal Betreuung, rund um die Uhr! Das kannst du einfach nicht leisten und das weißt du. An den Kosten kann ich mich doch beteiligen.«

»Kommt nicht infrage! Ich bin durchaus noch in der Lage, für meine Frau zu sorgen«, sagt mein Urgroßvater sofort dagegen.

»Ja, sicher«, seufzt Ma und ich muss fast grinsen, dass sie sich an der Sturheit des alten Mannes genauso die Zähne ausbeißt wie ich mir am Anfang auch. Aber meine Mutter beweist Zähigkeit: »Es muss was mit Oma passieren. So hab ich sie noch nie erlebt. Inzwischen ist sie eine Gefahr für sich und andere! Und es wird immer schlimmer, das musst du akzeptieren. Das ist der Verlauf einer Demenz!«

Der alte Mann holt Luft und setzt offenbar zu einer heftigen Replik an.

Mit zwei Schritten bin ich bei ihm und lege ihm die Hand auf den Arm. »Urgroßvater, ich bring Oma mit dir hin. Und ich besuche sie auch. Und wenn ich meinen Führerschein wiederkriege, lassen wir dich als Beifahrer eintragen. Dann kann ich dich abholen und zum Heim fahren!«

Meine Mutter starrt mich mit offenem Mund an. Sie sieht aus, als wäre ich vor ihren Augen zu Mutter Teresa mutiert.

Ich rolle die Augen. »Jetzt guck nicht so! Urgroßvater und ich sind richtig gute Freunde geworden, stimmt's?«, sage ich und knuffe den alten Mann dabei leicht in die Seite.

Dessen eben noch zorniges Gesicht glättet sich und zeigt sogar die Andeutung eines Lächelns. »Deine Tochter ist ein kluges Mädchen«, sagt er zu meiner Mutter. Und mir flüstert er leise und ernst zu: »Und du bist was Besonderes – und wenn dieser Kerl das nicht sieht, ist er dumm wie Bohnenstroh!« Er kneift mir kurz und sanft in die Wange, ehe er sich zu seiner Frau umwendet. »Komm, Liesel, wir fahren ...« Er stockt einen Moment und sucht meinen

Blick, ehe er fortfährt: »Wir fahren an einen Ort, wo es dir gut geht.«

Meine Urgroßmutter ergreift seine ausgestreckte Hand und blickt ihren Mann mit großen Kinderaugen an. Sie lächelt und nickt, dann fasst sie energisch nach meiner Hand. »Und Annele?«

Ich habe einen Knoten im Hals, aber ich nicke ihr zu und sage fest: »Na, logisch komme ich mit. Aber erst mal brauchen wir ein Pflaster für deine Hand.«

Damit führe ich meine Oma zu der Schublade, in der meine Mutter die Pflaster aufbewahrt. Sie lässt sich widerstandslos verbinden.

»Gell, Annele, du lässt mich nicht allein?«, fragt sie mich, als das Pflaster endlich klebt.

Stumm schüttle ich den Kopf und wünsche mir, ich könnte nicht nur über die sichtbare Wunde meiner Urgroßmutter ein heilendes Pflaster kleben.

Kapitel 11

Ein falsches Stockwerk und eine echte Überraschung

Der mehrstöckige Bau aus viel Stahl und Glas sieht aus wie eine kleine, eigene Stadt und nennt sich Sankt Urban. Der Krankenhauskomplex mit angeschlossener Pflegestation ist auf psychisch Kranke und Leute mit Demenz spezialisiert. Außerdem hat er eine Abteilung mit zwanzig Plätzen für besonders schwere Fälle, die nicht mal mehr aus dem Bett kommen, weil sie keinerlei Orientierung und Koordinationsvermögen mehr besitzen. Dort wird meine Urgroßmutter wahrscheinlich auch irgendwann landen. Aber erst einmal wird sie im »offenen Vollzug« leben, wie Urgroßvater Hermann es ironisch nennt. Das bedeutet, dass sie sich zwischen ihrem Zimmer, dem Aufenthaltsraum und dem Fernsehzimmer frei bewegen kann. Dennoch werden immer Schwestern und Pfleger anwesend sein und sie im Auge behalten.

Das erklärt der zuständige Arzt meinem Urgroßvater. Und mir, weil ich nicht von seiner Seite weiche. Ich weiß, wie schwer es meinem Uropa fällt, seine Liesel wieder in die sterile Atmosphäre einer Klinik zu bringen. Aber es geht nicht anders. Immerhin scheint sich die Urgroßmutter in ihrem Zimmer, das in einem freundlichen Gelb gestrichen ist, wohlzufühlen. Eifrig stellt sie die Fotos auf, die wir in einem Karton von zu Hause mitgebracht haben. Darunter ist auch ein Schnappschuss von mir – für meine Urgroßmutter bin

181

ich aber nach wie vor Annele. Meine Mutter wartet auf dem Gang, während Urgroßvater Hermann und ich Uromas letzten Koffer mit Kleidung aus dem Auto holen. Als wir ihn aufs Zimmer bringen, sitzt die alte Frau auf dem Bett und starrt nach draußen. Ob sie spürt, dass sie nun alleine hier bleiben muss?

»Oma, guck mal, wer hier ist«, sage ich behutsam und sie dreht sich langsam um. Erst mustert sie den Pfleger, der uns begleitet hat, dann wandert ihr Blick zu ihrem Mann. »Grüß Gott, Herr Doktor«, sagt sie und streckt ihm förmlich die Hand entgegen.

Ich sehe, wie es im Gesicht des Urgroßvaters zuckt.

»Oma, das ist dein Mann, Herri!«, helfe ich behutsam nach. Ich hoffe, dass sie sich nun erinnert. Vielleicht braucht sie ja nur das richtige Stichwort. Ich hoffe, dass der Name meines Urgroß- vaters ihrem Gedächtnis auf die Sprünge hilft – wie beim Kreuz- worträtsel, wo ein fehlender Buchstabe auf einmal zum Lösungs- wort führt. Wenigstens noch einmal.

»Herri, ja …«, murmelt meine Uroma. Dann hellt sich ihr Ge- sicht auf. »Hermann Schmitz, Marktstraße 4, letztes Haus links«, leiert sie herunter.

»Genau, Oma, und jetzt lassen wir dich mal alleine, dann kannst du dich ein bisschen ausruhen, okay?«, sage ich und er- greife beide Hände der alten Frau.

Auch mein Urgroßvater tritt ans Bett und beugt sich zu ihr he- runter. »Wiedersehen, Liesel«, murmelt er leise. »Ich komm dich bald besuchen, versprochen.«

Sie nickt. Dann wendet sie sich mir zu. »Gute Nacht, Annele«, lächelt sie. »Und träum süß …« Abwartend blickt sie mich an.

»… von sauren Gurken«, ergänze ich.

Meine Uroma nickt. »Auf Wiedersehen …«, sagt sie zum Urgroßvater und als der sich schon abwendet, fügt sie hinzu: »Herr Doktor!«

*

Im Auto sitzt Urgroßvater Hermann stumm und zusammengesunken auf dem Rücksitz. Ich weiß nicht, wie ich den alten Mann trösten soll. Auch meine Mutter, die draußen auf dem Flur gewartet hat, damit ihre Oma nicht mit zu vielen Leuten konfrontiert ist, sieht blass und hilflos aus. Gerade als sie losfahren will, fällt mein Blick auf die Handtasche der Urgroßmutter, die in den Fußraum des Autos gerutscht ist.

»Kannst du ... kannst du sie ihr bringen? Ich glaube, ich schaffe das nicht. Nicht noch mal«, sagt mein Urgroßvater und sieht mich bittend an.

Ich nicke mit einem bitteren Geschmack in der Kehle. »Klar, mach ich. Und ... Urgroßvater ... du weißt, dass sie dich immer lieb hatte«, sage ich, ehe ich mit der abgewetzten Tasche unterm Arm aussteige.

Er nickt stumm und mit zitternder Unterlippe.

Ich sehe zu, dass ich aus dem Auto komme, ehe ich noch zu heulen anfange.

✳

Als sich die Aufzugtüren öffnen, fällt mir ein, dass ich mir die Zimmernummer nicht gemerkt habe. Ratlos blicke ich den Flur mit den identisch aussehenden Türen runter und beschließe dann, nach einer Schwester zu suchen. Die kann mir bestimmt Auskunft geben, wo meine Urgroßmutter liegt.

Da kommt auch schon eine junge Frau in weißer Schwesterntracht. Sie hat einen alten Mann am Arm, der gebückt neben ihr her schlurft. Forsch gehe ich auf sie zu.

»Entschuldigen Sie bitte ...«, fange ich an, doch dann stocke ich. Der Mann neben der Schwester hat den Kopf gehoben und ich sehe, dass er noch gar nicht so alt ist. Höchstens Mitte fünfzig, denn nur wenige graue Strähnen durchziehen sein blondes, wirres Haar. Was macht so jemand in der Abteilung für senile

Greise? Er sah früher sicher gar nicht schlecht aus. Jetzt aber ist sein Gesicht gleichzeitig eingefallen und aufgeschwemmt, viele rötliche Äderchen überziehen seine Wangen und seine blauen Augen starren trübe und teilnahmslos ins Leere. Was mich jedoch am meisten irritiert: Ich kenne diesen Mann von irgendwoher. Seine Gesichtszüge sind mir merkwürdig vertraut. Doch ich komme partout nicht darauf, wo ich ihn schon mal getroffen haben könnte.

»Ja, bitte?«, reißt mich die Stimme der Schwester aus meinen Grübeleien.

»Ich suche meine Urgroßmutter, die vorhin eingeliefert wurde. Lieselotte Schmitz«, erkläre ich, während sich in mir festsetzt, dass ich den Typen neben der Pflegerin garantiert doch schon mal gesehen habe. Aber wo nur, verflixt noch mal?

»Lieselotte Schmitz? Ham wir nicht«, erklärt die Weißbekittelte und in diesem Moment beginnt der Mann neben ihr, mit lauter, heiserer Stimme zu singen: »What shall we do with the drunken sailor, what shall we do with the drunken sailor ...«

Die Schwester legt ihm beruhigend die Hand auf die Schulter. »Ja ja, schon gut«, flötet sie, ehe sie sich an mich wendet und kurz angebunden meint: »Wie gesagt, der Name Schmitz sagt mir nichts. Weswegen ist sie denn hier? Psychose, Angststörung oder«, und damit wirft sie dem Mann neben sich einen Blick zu, »Suchtprobleme?«

»Nee, sie ist 88 und dement«, erwidere ich und kurz schießt mir der Gedanke durch den Kopf, mit welchen Problemfällen meine Uroma hier zusammenleben muss.

»Ach so, dann sind Sie im falschen Stockwerk! Die Geriatrie ist eins drüber«, sagt die Schwester.

»Oh, sorry. Und danke!«, hasple ich und mache, dass ich hier wegkomme, denn der Mann, den die Schwester nun wieder energisch unterhakt, beginnt wieder durchdringend zu singen: »What shall we do with the drunken sailor ... early in the mooorning?«

Ungeduldig hämmere ich auf den Aufzugknopf. Mir reicht das dauernde Gesinge und Geplappere von meiner Urgroßmutter. Trotzdem lässt sich mein Hirn nicht abschalten und grübelt, wieso mir dieser Typ so verdammt bekannt vorkommt?

Gerade als sich die Türen des Aufzugs öffnen, höre ich die Schwester energisch zu dem singenden Mann sagen: »Nun ist aber wirklich gut, Herr Grothauer.«

Schlagartig erstarre ich, als wäre ich in Sekundenkleber getreten und würde nun am Boden haften. Hat sie gerade »Grothauer« gesagt? Das ist doch Lasers Nachname! Was für ein Zufall, dass jemand in der Klinik ist, der genauso heißt, denke ich. Aber nur einen Moment später weiß ich, dass es keiner ist. Ich weiß, weshalb mir der Mann so bekannt vorkommt!

Langsam drehe ich mich um. Schwer auf den Arm der Schwester gestützt, nähert sich der Mann: die blauen Augen, die blonden Haare – wenn der Alkohol das Gesicht nicht derart aufgedunsen hätte, wäre er ein Abbild von Laser in dreißig Jahren. Er muss sein Onkel oder so etwas sein.

Eigentlich müsste ich ja zu meiner Urgroßmutter, aber ich kann nicht anders, als den Mann anzusprechen: »Entschuldigung, kennen Sie Lukas Grothauer? Der ist bei mir auf der Schule«, frage ich und warte gespannt.

»Lukas, klar, mein kleiner Lukie. Ein braver Junge, ein guter Junge, macht keinen Ärger, im Gegensatz zu … dem hier«, dröhnt der Mann, wobei er sich auf die Brust tippt und mich aus wässrigen Augen anstiert. »Auf mich kann Lukie-Boy nicht stolz sein, gar nicht stolz! Hab alles versaut im Leben. Oder nein! Der Alkohol war's! Die Drinks!«, ruft er, wobei er das R in »Drinks« betont amerikanisch ausspricht. »Das geht auf die Leber, meine Liebe!«, belehrt er mich und fügt hinzu: »Und trotzdem besucht mein Lukie mich jede Woche … na ja, fast.« Er grinst schief und beginnt erneut zu singen: »Immer wieder sonntags … kommt die Erinnerung …« Dann lacht er heiser, hebt den Kopf und blickt mir direkt in die Augen. »Ist das nicht nett von meinem Sohn?«

Es dauert eine halbe Sekunde, bis ich begreife. Wie ein Glas, das herunterfällt, kurz in der Luft schwebt, ehe es auf den Boden knallt und in tausend Splitter zerbirst. In meinen Ohren dröhnt es.

»Laser ... ich meine, Lukas ist Ihr *Sohn*?«, stottere ich und schäme mich gleich darauf, weil mein Tonfall offenbart, was ich denke. Nämlich wie unfassbar es scheint, dass Laser so einen fertigen, abgewrackten Alkoholiker als Vater hat.

Der Mann lacht wieder sein raues Lachen. »Tja, manchmal fällt der Apfel eben doch weit vom Stamm!« Dann fängt er wieder mit dem Gesinge an: »What shall we do ...«

Doch die Schwester unterbricht ihn energisch: »So, nun is aber Ende der Fahnenstange, Herr Grothauer! Sie haben jetzt Sendepause.« Dann wendet sie sich an mich: »Bitte gehen Sie jetzt. Sonst wird er noch unruhiger. Er war schon mal bei uns, aber jetzt ist eine Psychose dazugekommen und er darf sich nicht aufregen.«

»Tut mir echt leid, ich bin schon weg«, murmle ich und beeile mich, den Aufzug erneut zu rufen.

*

»Alles in Ordnung, Motte? Du siehst aus, als hättest du ein Gespenst gesehen«, sagt meine Mutter, als ich endlich die Tasche der Urgroßmutter im richtigen Stockwerk abgeliefert habe und wieder im Auto sitze.

»Geht es Liesel gut?«, fragt mein Urgroßvater besorgt. Auch er mustert mich prüfend. Ich muss echt mies aussehen.

»Ja ja, mit Oma ist alles klar, die sitzt im Aufenthaltsraum und sieht mit der Schwester Bilderbücher an«, erkläre ich zerstreut.

Weder mit Urgroßvater Hermann noch mit Ma könnte ich darüber reden, was ich soeben im dritten Stock des Sankt Urban erlebt habe. Während der Heimfahrt grüble ich darüber nach, wie es mit Lasers Vater wohl so weit kommen konnte. Ob er irgendwann tatsächlich mal in den USA war? Oder hat Laser die ganze Story von vorne bis hinten erstunken und erlogen?

Und plötzlich geht mir auf, dass Laser demnach nicht in den USA sein kann – jedenfalls nicht, um seinen Vater zu besuchen. Denn der sitzt mit einer Psychose in der Klinik. Wo ist Laser also in Wirklichkeit?

*

»Motte, bitte ... ich hab's versprochen. Und daran halte ich mich!« Mein Urgroßvater hält mir ein Bündel Geldscheine unter die Nase.

»Mann, jetzt lass! Ich hab's dir doch gesagt. Ich will die Kohle nicht.« Ich weiche einen Schritt zurück und schüttle abwehrend den Kopf.

Der alte Mann lässt einfach nicht locker. Er beharrt darauf, dass er mir vor Beginn der Fahrt nach Tschechien einen Tausender versprochen hat. Und das Versprechen will er nun unbedingt einlösen. Doch ich käme mir reichlich schäbig vor, das Geld zu nehmen.

»Du wolltest doch nach Amerika fliegen. Nehmen die 17-Jährige jetzt seit Neuestem umsonst mit?«, versucht Urgroßvater Hermann, Überzeugungsarbeit zu leisten.

Wie die Spitze eines Eiszapfens sticht ein kalter Schmerz in mein Inneres. Weil mein Urgroßvater nichts davon mitbekommen soll, versuche ich es mit einem Scherz: »Amerika liegt im Osten – hast du das nicht gewusst? Und da war ich gerade. Und überhaupt, ich will nicht von dir für was bezahlt werden, das ... hm, also ... das in einer Familie selbstverständlich ist!«

Er steckt das Geld wieder ein und guckt jetzt so gerührt, dass es mir schon fast peinlich ist. Hab ich da nicht ein bisschen zu dick aufgetragen? Aber wenn ich es mir recht überlege, habe ich in diesen drei ziemlich chaotischen Tagen mit meinem Urgroßvater so viel geredet, gestritten und gelacht wie nie zuvor. Und ihn – samt meiner reichlich durchgeknallten Urgroßmutter – unerwartet ins Herz geschlossen. Und da geht mir auf, dass ich ihn seit Kurzem in Gedanken auch nicht mehr Ice H. nenne, sondern einfach Urgroßvater. Erstaunt über mich selbst, denke ich dann, dass mein früherer Spitzname auch nicht mehr zu ihm passt. Genauso wenig wie ich meine Urgroßmutter von heute mit der harten, fast unfreundlichen Frau von damals zusammenkriege. Dieses verwirrte Kind von 88 Jahren ruft in mir nur noch den Wunsch hervor, es zu beschützen. Obwohl ich weiß, dass alles Schreckliche, vor dem man ein Kind eigentlich bewahren will, meiner Urgroßmutter bereits passiert ist. Sie konnte nichts für das, was ihr Vater verbrochen hatte. Ich weiß nicht, ob sie dessen Gesinnung geteilt hat oder nicht. Aber selbst wenn: Wer stellt sich schon gegen die allgemeine Überzeugung und macht den Mund auf in dem Wissen, dann von allen gedisst und ausgestoßen zu werden? Nein, sie hatte damals keine Wahl. Genauso wenig wie ich heute. Oder?

*

Es ist der erste Schultag nach den Ferien und ich sitze auf meinem Platz im Klassenzimmer. Allein. Kein Mensch da außer mir, dabei ist der Gong zum Unterricht gerade ertönt. Ehe ich mich darüber wundern kann, geht die Tür auf und die Schubert kommt mit dem Rest der Klasse rein. Alle setzen sich an die Tische. Nur der Platz neben mir bleibt leer. Sie tuscheln und kichern und sehen immer wieder zu mir rüber. Ein flaues Gefühl macht sich in meinem Magen breit.

Die Schubert stützt die Hände aufs Pult und befiehlt: »Biologiebücher raus!«

Ich wundere mich. Seit wann unterrichtet die Schubert denn Bio?

Die Lehrerin beugt sich vor und starrt mir direkt ins Gesicht. Sie lächelt zynisch und sagt zur Klasse: »Wir haben heute Aufklärungsunterricht. Die menschliche Fortpflanzung – am Beispiel von Marie und Lukas! Willst du uns etwas darüber erzählen, Motte?«

Ohrenbetäubendes Gelächter bricht los. Meine Mitschüler zeigen mit dem Finger auf mich, wobei sie immer lauter und lauter lachen. Ich will im Boden versinken vor Scham. Ich greife nach meiner Tasche und versuche, den Stuhl zurückzuschieben, doch es geht nicht. Die Stuhlbeine kleben am Boden fest. Als ich den Blick hebe, starren mich alle immer noch an – die Münder unwahrscheinlich weit aufgerissen. Am lautesten lacht die Schubert …

Schweißgebadet schrecke ich aus dem Bett hoch. Meine Haare kleben mir in feuchten Strähnen an der Stirn und mein Herz galoppiert mit gefühlten 60 km/h. Ich brauche ein paar Sekunden, bis mir klar wird, dass ich in meinem Bett liege und das nur ein Traum war. Trotzdem habe ich das schrille Gelächter immer noch im Ohr. Und morgen ist tatsächlich der erste Schultag nach den Ferien.

Sollte mir der Traum klarmachen, was auf mich zukommt, wenn ich Laser wegen der Schlägerei bei der Klassenfete anschwärze? Das steh ich nicht durch, denke ich zitternd. Aber vielleicht wird ja alles gut. Vielleicht muss Pavel die Schule gar nicht verlassen, sondern kommt mit einem Verweis davon. Vielleicht wenn ich Laser wiedersehe …

Da fällt mir ein, dass der auf meine letzte SMS nicht geantwortet hat. Ich könnte mich selbst in den Hintern treten, dass ich so peinlich war, ihm noch mal ein »miss u« zu schreiben. Mir hätte doch klar sein müssen, wie klein und erbärmlich das klingt, ehe ich total ferngesteuert auf »Senden« gedrückt habe. Ich könnte ins Kissen beißen vor Wut – auf mich, aber auch auf Laser. Er verkauft mich seit einer Woche für blöd. Von wegen: Er ist bei seinem Dad in Amerika. Ferien in der Klapse wären passender, denke ich gehässig, und auf einmal habe ich große Lust, ihn zur Rede zu stellen und mit meinem Wissen zu konfrontieren. Rachsüchtig schalte ich mein Handy ein. Es ist Sonntagmorgen, elf Uhr. Und mir fällt ein, was Lasers Vater im Sankt Urban gegrölt hat, als von seinem Sohn die Rede war: »Immer wieder sonntags …«

Ich zögere nur einen Moment, dann springe ich aus dem Bett.

*

Beim dritten Cappuccino fangen meine Hände vom vielen Koffein an zu zittern. Und ich gestehe mir ein, dass die Idee, Laser hier aufzulauern, vielleicht doch nicht so clever war, wie ich dachte. Seit zweieinhalb Stunden hocke ich nun schon in der verglasten Cafeteria des Sankt Urban und nichts ist passiert, außer dass ich um sechs Euro ärmer bin.

Von Laser keine Spur. Inzwischen ist es halb drei und ich fange an, mich unwohl zu fühlen. Was aber auch an meinem Outfit liegen könnte. Um möglichst unerkannt zu bleiben, habe ich mir von meiner Mutter eine Baskenmütze ausgeliehen und dazu meine Suppenteller-große Sonnenbrille aufgesetzt, die ich gegen den heftigen Protest meiner Mutter während unseres Urlaubs in Nizza gekauft hatte. »Du siehst nicht aus wie die Stars bei den MTV-Awards, Motte. Du siehst aus wie Puck die Stubenfliege«, hatte sie vor dem Kauf gemeckert. Damals hatte ich ihr Urteil als spießig abgetan. Aber seit Nizza habe ich die Brille nie wieder getragen. Bis jetzt.

Perfekt getarnt, wie ich fand, habe ich mich in die Cafeteria gesetzt. Wenn Laser käme, würde ich ihn durch die gläserne Scheibe erkennen, er mich aber nicht. Nur komme ich mir jetzt mit der Baskenmütze bei 25 Grad draußen und der Riesensonnenbrille hier drin doch etwas blöd vor. Nicht, dass irgendjemand an meiner Kostümierung Anstoß genommen hätte – schließlich haben sie hier auch eine Abteilung für Psychofälle. Die Mitarbeiter hier sind wahrscheinlich noch ganz andere Typen gewohnt.

Trotzdem nehme ich die Sonnenbrille jetzt von der Nase und beschließe zu gehen. Ich kann hier nicht den ganzen Tag herumlungern und darauf setzen, dass Laser kommt. Brav bringe ich sogar noch meine leere Tasse zurück an den Tresen, ehe ich ins Foyer der Klinik trete. Und gerade als ich auf die gläsernen Ausgangstüren zusteuere, sehe ich durch die Scheibe jemanden auf mich zukommen. Laser. Als hätte ich einen 220-Volt-Elektroschock bekommen, setzt mein Herz aus. Drei Stunden habe ich gewartet, drei Stunden lang habe ich mir ausgemalt, was ich sagen werde, wenn es so weit ist. Und jetzt ist mein Hirn leer wie eine blanke Schultafel. Trotzdem tragen mich meine Füße einfach immer weiter und zum Glück gleiten die Türen automatisch zur Seite, sodass ich nicht am Glas kleben bleibe. Auch Laser erkennt nun, wen er da vor sich hat. Er stoppt abrupt und seine Miene ist erst ungläubig, dann erschrocken. Aber eine Sekunde später hat er sich bereits wieder im Griff und lächelt sein strahlendes Laser-Lächeln. »Marie! Hey, wie cool. Was machst du denn hier?«, grinst er und klingt, als würde er sich wirklich freuen. Dennoch glaube ich, ein leichtes Zittern in seiner Stimme zu hören und zu sehen, dass es in seinen blauen Augen unruhig flackert.

»Meine Uroma liegt hier – im *vierten* Stock«, sage ich und beobachte, wie sich seine Züge entspannen.

Vierter Stock, nicht dritter. Er kann also darauf hoffen, dass sein Geheimnis gewahrt bleibt, denke ich bitter. Meine Wut ist wieder da und ich beschließe, ihn ein bisschen zu quälen. »Hey, wie war's in L.A. bei deinem Dad?«, frage ich lässig und nehme ihn ins Visier.

Er nickt unbestimmt. »Jaaa … war ganz cool dort. Ich war oft am Strand und so. Na ja, viel gechillt eben.«

»Klingt super«, sage ich mit falschem Lächeln, um dann betont harmlos hinzuzufügen: »Und? Was machst *du* hier?«

Laser blickt sich schnell um, ehe er sagt: »Ich, äh … soll hier irgend so ein Formular abholen. Für … meinen Großvater, der …

der lag letzte Woche ein paar Tage hier. Danke übrigens für deine SMS, ich bin heute erst zurückgekommen und hab sie gelesen. Ich wollte dir auch antworten …« Er klingt hektisch und kann mir beim Reden nicht in die Augen sehen.

Und plötzlich habe ich die Nase voll von diesem Spielchen. Mir ist übel und ich will mir keine einzige von Lasers Lügen mehr anhören. »Komm, lass es«, sage ich leise. »Ich weiß Bescheid.«

Er blickt alarmiert und sagt dann viel zu schnell: »Nee, echt jetzt, ich wollte dir gleich 'ne SMS schicken, wenn ich das Ding für meinen Großvater erledigt …«

»Ich meine, ich weiß, warum du hier bist«, unterbreche ich ihn und beobachte, wie der Schock sich in seinem Gesicht ausbreitet – wie Wellen auf einem stillen See, wenn man einen Stein hineinwirft. Aber jetzt ist es zu spät, um aufzuhören. Daher fahre ich tapfer fort: »Ich hab deinen Vater gesehen, Laser. Ich wollte zu meiner Uroma und bin aus Versehen im dritten Stock aus dem Aufzug raus. Da kam er mir im Flur entgegen und ich hab gehört, wie eine Schwester ihn mit seinem Nachnamen angesprochen hat. Er sieht dir ähnlich«, ende ich und bin plötzlich ganz ruhig. Endlich ist es raus.

Lasers Gesicht ist starr und seine Augen sind hell und durchscheinend wie blaues Gletschereis. Seine Stimme klingt tonlos, als er sagt: »Glückwunsch, Frau Detektivin. Und jetzt? Willst du's überall herumerzählen? Aus Rache, weil ich mich nicht gemeldet habe? Oder muss ich dir ewige Liebe und Treue schwören, damit du dichthältst, oder was?«

Seine Worte sind wie vergiftete Pfeile, die sich einer nach dem anderen in mein Herz bohren. Der gemeine Ton schmerzt mich mehr, als ich sagen kann. Und obwohl mir klar ist, dass Laser aus Scham und Hilflosigkeit wegen seines abgewrackten, peinlichen Alkoholikervaters um sich schießt, hat er genau getroffen. Aber als ich ihn jetzt anschaue, macht sich neben dem Schmerz ein anderes Gefühl in mir breit: Mitleid.

Leise sage ich: »Du bist doch das ärmste Schwein von allen. Erzählst allen die Story von deinem Stuntmanvater in Hollywood. Nur, um nicht als Loser dazustehen. Nur keine Schwäche zeigen, ja? Du hast nämlich tierisch Schiss, dass alle dich fallen lassen, wenn sie wüssten, was in Wahrheit bei dir zu Hause abgeht! Dass sich die ganze Schule das Maul zerreißt. Aber Tobi ist doch dein bester Freund. Weiß der Bescheid? Ich wette nicht. Der würde sich nämlich als Allererster den Arsch weglachen, stimmt's?«

Diesmal habe *ich* den vergifteten Pfeil abgeschossen. Und ins Schwarze getroffen, denn Laser wird schlagartig weiß um die Nase. Und in dem Moment weiß ich auch, warum er bei der Party auf Pavel losgegangen ist. Er konnte gar nicht anders: Ehe er als Schwächling gilt und selber fertiggemacht wird, macht er andere fertig. Und genau das sage ich ihm auch.

Er versucht ein überlegenes Grinsen, das ihm allerdings gründlich verrutscht. »Uh, jetzt hast du's mir aber gegeben! Willst du nicht gleich im dritten Stock anheuern, wo du doch so 'ne Superpsychologin, bist?«, spottet er und es soll bissig klingen.

Doch mich beeindruckt sein kalter Blick nicht. Nicht mehr. »Tja, vielleicht mach ich das. Aber vorher sag ich dir noch was: Die ganze Show von dir – Treffen im Luigi's, und dass du mich im Schulflur abgepasst hast mit allem Drum und Dran –, das hast du gar nicht wegen mir gemacht. Sondern weil Tobi dir gesteckt hat, dass ich bei der Klassenfete mit dem Handy Fotos von deiner Prügelei mit Pavel gemacht habe. Und man sieht, dass *du* angefangen hast. Aber du hast dich getäuscht. Es gibt keine Fotos«, sage ich. Und kurz sehe ich so etwas wie Hoffnung in seinem Gesicht, ehe ich fortfahre: »Es ist ein Film! Aber egal … deswegen hast du dich an mich rangemacht, damit ich den Mund halte. Oder damit du bei passender Gelegenheit mein Handy in die Hand kriegst und alles löschen kannst. Nur dumm, dass ich's gemerkt habe – Superpsychologin, die ich bin.«

Laser verschränkt die Arme vor seinem Sixpack. Er will überlegen wirken, doch für mich sieht es aus, als wolle er sich selbst umarmen. »Tja, jetzt hast du mich in der Hand, Marie«, gibt er scharf zurück. Aber ich höre, wie gepresst seine Stimme klingt. »Okay, liefer mich dem Direx aus! Zeig ihm den Film, den du auf dem Handy hast. Und erzähl doch Jana gleich noch von meinem Dad, dann weiß es übermorgen die ganze Schule.«

In dem Moment könnte ich ihn ohrfeigen. Vor lauter Egoismus und Selbstmitleid trampelt er einfach immer weiter auf mir herum. »Du raffst wirklich gar nichts, oder?«, fauche ich wütend. »Ich mach das nicht, um mich für irgendwas zu rächen, du Idiot! *Ich* hab dir nämlich nichts vorgespielt«, sage ich ernst und füge hinzu: »Und von mir erfährt auch keiner was über deinen Vater. Ich gehe nicht mit meinem Handyfilm zur Schubert oder zum Direx wegen der Schlägerei. Aber vielleicht überlegst du dir mal, dass Pavel jetzt von der Schule fliegt. Dabei wollte der eigentlich immer nur dazugehören – genau wie du.«

Da hebt Laser den Kopf und blickt mich an.

Und zum ersten Mal halte ich seinem Blick stand, statt aus lauter Verlegenheit und Bewunderung auf den Boden zu starren. Ruhig und unverwandt sehe ich ihn an, bis er sich auf die Lippen beißt und den Blick abwendet.

»Ich muss hoch, mein Vater wartet«, sagt er leise.

Ich nicke und ohne einen Blick zurück gehe ich durch die automatische Glastür nach draußen. Sekundenlang muss ich die Augen zusammenkneifen, so hell ist die Sonne, die vom blauen Himmel strahlt. Ich setze meine riesige Sonnenbrille wieder auf und denke, dass es tatsächlich Sommer geworden ist. Und ich habe es nicht mal gemerkt.

Kapitel 12

Alles auf Anfang

Am nächsten Morgen komme ich absichtlich erst kurz vor Unterrichtsbeginn zur Schule. Ich habe gehofft, alle würden schon im Klassenzimmer sitzen und sich über ihre Ferienerlebnisse austauschen, doch da habe ich mich gründlich getäuscht. Das ungewohnt warme Wetter hält die Schüler draußen fest. Offenbar hat keiner Lust, den ersten Schulalltag nach den Ferien früher als nötig zu beginnen. Während die Kleinen aus der Unterstufe eifrig umherwuseln, stehen mehrere Grüppchen älterer Schüler auf dem Pausenhof zusammen, rauchen und quatschen miteinander. Die größte Gruppe steht direkt am Eingang: Bébé, Jana, Rob und noch ein paar andere aus meiner Parallelklasse und – mal wieder als strahlender Mittelpunkt – Laser.

Als ich den Hof überquere, quietscht Bébé gerade aufgedreht: »Ist ja endcool. Hat dein Vater dich in L.A. zu Promipartys mitgenommen? Hast du auch Robert Pattinson gesehen?« Bei diesen Worten reißt sie die Augen noch ein bisschen weiter auf, weil sie sich ja nichts von Lasers Antwort entgehen lassen will.

Ich sehe, wie der sein strahlendes Laser-Lächeln anknipst und gespielt bescheiden den Kopf schüttelt. »Leute, ich war hauptsächlich am Strand. Völlig unspektakulär!«

Aber das stachelt die Mädchen noch mehr auf. Jetzt quiekt auch Jana. Wieso klingen Mädchen, wenn sie mit Jungs reden, eigentlich immer, als würden sie die Hohe-C-Arie aus Mozarts *Zauberflöte* singen?, frage ich mich, während sich meine Klassenkameradin nicht mehr einkriegt.

»Matthew Mäc-con-uh-hey!«, kreischt Jana. »Der geht doch immer am Strand laufen, hab ich gelesen! Ey, Laser, du hast doch sicher Fotos gemacht! Zeig doch mal, vielleicht ist Matthew ja irgendwo drauf!«

Ich verdrehe die Augen. Matthew? Seit wann ist Jana mit einem US-Schauspieler per Du?

Laser zuckt bedauernd die Schultern. »Klar hab ich Pics, aber irgend so'n Dreckskerl hat mir am Flughafen die Digicam geklaut. Ich hab nur einen Moment nicht aufgepasst und weg war sie. Shit happens!«

»Ooooch«, machen Jana und Bébé im Chor und versuchen einander darin zu überbieten, möglichst kokett eine Schnute zu ziehen. Aber Laser hat keinen Blick für sie, denn er hat mich entdeckt. Unsere Blicke treffen sich für eine Zehntelsekunde, ehe er hastig zur Seite sieht. Auch ich ignoriere ihn und die Clique, indem ich so tue, als hätte ich gerade eine SMS erhalten.

Und fast wird meine Darbietung ein Erfolg, doch dann entdeckt mich Jana und jodelt quer über den Pausenhof: »Ey Motte, und was hast *du* in den Ferien gemacht?«

Mir bleibt nun nichts anderes übrig, als mich zu dem Grüppchen zu gesellen. Aus dem Augenwinkel sehe ich, wie Laser unbehaglich zu Boden starrt und auf einem imaginären Fleck auf seiner hippen Understatement-Tasche aus LKW-Planen herumrubbelt. Jana, in den Ferien offenbar frisch blondiert und mit kleinen grünen Glitzersteinchen auf dem Rand ihrer Fingernägel, löchert mich derweil: »Und? Was ging? Warst du weg?«

Stumm mustere ich sie und ihr ganzes künstliches Getue. Mein Blick wandert weiter zu Bébé, die Laser nicht aus den Augen lässt und mit Standbein-Spielbein-Brust-raus-Pose seine Aufmerksamkeit zu erhaschen versucht.

Und schlagartig reicht es mir mit dem ganzen Chichi und dieser Wer-ist-die-Schönste-in-der-ganzen-Schule-Nummer. Ich hole tief Luft und sage: »Ich war mit meinen Urgroßeltern in Tschechien. Meine Uroma hat bis zum Krieg da gelebt, bevor ihr Vater von den Russen verschleppt wurde, weil er Nazi war, und sie mit dem Rest ihrer Familie nach Deutschland flüchten musste.« So, denke ich, da habt ihr meine Ferien. Die Vergewaltigung meiner Urgroßmutter behalte ich für mich, das geht keinen was an. Die alte Frau hat ein Recht auf ihr Geheimnis.

Auf dem Pausenhof herrscht verblüfftes Schweigen. Alle starren mich an, offenbar hat es ihnen die Sprache verschlagen. Doch dann sehe ich in Robs Augen Spott aufblitzen und auch Bébés Mundwinkel heben sich zu einer Grimasse des Hohns.

In dem Moment macht Laser den Mund auf: »Finde ich cool, dort war ich noch nie. Und dein Urgroßvater ist doch sicher schon über achtzig, oder?« Zwar kann er mir immer noch nicht direkt in die Augen sehen, aber seine Worte haben etwas bewirkt: In den Mienen der anderen lese ich jetzt statt Ungläubigkeit und Verachtung widerwillige Bewunderung.

Laser dirigiert sie alle nach wie vor, denke ich, ehe ich sage: »Er ist gerade neunzig geworden.« Dann umfasse ich meine Tasche fester und gehe. Schnurstracks in die Mädchentoilette, wo ich mir minutenlang kaltes Wasser über die Handgelenke laufen lasse und versuche, meinen hämmernden Puls zu beruhigen. Es gelingt Laser also immer noch, mich aus der Bahn zu werfen.

*

Erst kurz nach dem Gong zur ersten Stunde schlüpfe ich durch die Tür ins Klassenzimmer. Fast erwarte ich, dass alle mich anstarren, tuscheln und kichern – wie in meinem Albtraum. Nicht wegen der Sache mit Laser im Geräteraum, sondern wegen meiner Urgroßeltern. Welche 17-Jährige fährt schon freiwillig mit zwei Alten durch den Osten? Doch meine Mitschüler sehen nur kurz hoch. Die, die ich noch nicht gesehen habe, murmeln »Hi«, ehe sie sich auf das Englischpaper konzentrieren, das die Schubert gerade austeilt. Die Lehrerin lächelt mir auch nur kurz und unverbindlich zu.

»Na, schöne Ferien gehabt?«, sagt sie, ehe sie in die Hände klatscht. »So, Herrschaften, bitte durchlesen und analysieren. Bei Fragen wisst ihr ja, wo ihr mich findet.«

Sie setzt sich ans Pult und ich denke: Es hat sich ja gar nichts verändert. Bis ich merke, dass ein Stuhl leer geblieben ist: Es ist der von Pavel.

*

Als es zur Pause läutet, würde ich am liebsten im Klassenzimmer bleiben. Aber weil wir ausgerechnet Mathe bei Vogel haben, besteht keine Chance.

»Raus mit euch, Sauerstoff tanken für die kleinen grauen Zellen«, quäkt er. Ich bin versucht, ihm eine entsprechende Antwort zu geben, aber ich hüte mich. Ich habe auch ohne Lehrerärger genug Probleme. Deshalb trotte ich hinter den anderen aus dem Klassenzimmer und steuere wieder das Mädchenklo an. Dort werde ich die Pause verbringen. Diese und die nächsten 300 bis zum Abi. Denn das ist allemal besser, als Laser noch mal über den Weg zu laufen. Obwohl ich mich sowohl im Sankt Urban als auch auf dem Pausenhof cool gegeben habe, weiß ich nun nicht, was ich tun soll. Pavels leerer Platz hat mich die ganze Stunde über förmlich angesprungen. Aber was für Möglichkeiten habe ich? Laser anschwärzen – für einen Mitschüler, den ich kaum kenne? Andererseits fühle ich mich Pavel auf irgendeine Art verpflichtet, seit ich Ada kennengelernt und von ihr die Geschichte meiner Urgroßmutter erfahren habe.

Während ich noch in Gedanken versunken auf die Tür mit der Aufschrift »WC« zusteuere, stellt sich mir plötzlich Tobi in den

Weg. »Na, Motte«, sagt er spöttisch, wobei er meinen Namen so betont, als wäre er unanständig, »was hast *du* in den Ferien denn Schönes gemacht? Filme geguckt?« Er taxiert mich von unten bis oben, während er auf den Fußballen wippt.

Auf einmal spüre ich ein unbehagliches Ziehen im Magen. Ich habe aber keine Lust, mich von so einem Idioten kirre machen zu lassen. »Und was hast *du* in den Ferien gemacht? Leute blöd angequatscht?«, gebe ich zurück.

Tobis Augen werden schmal. »Wir können uns gern über unsere *Erlebnisse* austauschen. Vielleicht im Geräteraum der Turnhalle?«, sagt er. Sein Tonfall ist harmlos, aber das fiese Grinsen sagt alles. Laser hat es ihm erzählt. Dieses verdammte Schwein – ob ich Laser oder Tobi damit meine, ist mir gerade auch nicht klar. Ohne dass ich was dagegen tun kann, schießt mir das Blut in die Wangen und in den Augen spüre ich ein Brennen. Tobi grinst noch breiter. Und dann habe ich plötzlich das Bild meines Urgroßvaters vor Augen. Keine Ahnung wieso, aber auf einmal gibt mir der alte Mann, der sich durch nichts im Leben hat umwerfen lassen, Kraft.

»Weißt du, was dein Problem ist, Tobi? Du bist nichts weiter als ein mieser, feiger Mitläufer, der sich dran aufgeilt, wenn andere was abkriegen. Dann kommst du dir cool vor. Weil du es sonst nicht bringst – und zwar in keinerlei Hinsicht«, knalle ich ihm an den Kopf und bin selbst erstaunt, woher ich den Mut nehme, ihm mal offen und ehrlich die Meinung zu sagen.

Tobi fällt auch prompt die Kinnlade runter – einen solchen Konter hat er wohl am wenigsten erwartet. Doch nur wenig später verzerrt sich sein Gesicht und ich ahne, dass es ein Fehler gewesen sein könnte, eine Ratte wie ihn derart anzugehen.

»Du glaubst wohl, du bist was Besseres, hä?«, zischt er. »Aber ob das immer noch so ist, wenn alle wissen, dass du und Laser …«

»Dass wir *was*?«, ertönt auf einmal eine Stimme.

Ich fahre herum. Im Schulflur ist Laser aufgetaucht. Schon wieder lautlos. Noch einmal und ich fange an, ans Beamen zu

199

glauben. Auch Tobi ist anzusehen, dass Lasers Tonfall ihn aus dem Konzept gebracht hat. Aber er fängt sich schnell und knufft Laser kumpelhaft mit dem Ellenbogen in die Seite.

»Hab mich gerade mit unserer Superfilmerin unterhalten«, raunt Tobi und grinst.

Doch Laser verzieht keine Miene. »Lass Marie in Ruhe«, sagt er scharf.

Tobi rutscht das Grinsen aus dem Gesicht. »Ey, Alter, spinnst du jetzt, oder was?«, fragt er und lacht dann auf – überzeugt, sein guter Kumpel Laser macht nur einen Witz. »Oder stör ich euch? Dann geht doch an ein ruhiges Plätzchen und unterhaltet euch. Ich wüsste auch schon wo …«, kichert er und schielt Bestätigung heischend zu Laser rüber.

»Ich hab gesagt, du sollst sie in Ruhe lassen. Ich mein's ernst, Tobi«, fährt Laser ihn an.

»Alter Falter! Hast du was genommen oder was geht ab?«, mault Tobi und ich kann sehen, dass er nun unsicher ist.

Als Laser keine Antwort gibt und ihn nur ausdruckslos anstarrt, hebt er kapitulierend die Hände und verkrümelt sich mit einem gemurmelten Spruch, von dem ich nur die Worte »doch alle durchgeknallt« verstehe.

Laser fährt sich durch die Haare. »Shit, Marie, tut mir leid, echt«, sagt er und sieht mich an, ehrlich zerknirscht. »Das ist vor den Ferien irgendwie … aus'm Ruder gelaufen.«

Ich habe aber keine Lust, mir seine Entschuldigungsversuche anzuhören. »Vergiss es«, würge ich ihn deswegen ab und streiche mir energisch die Haare aus dem Gesicht. Er soll nicht denken, dass er mir noch irgendwas bedeutet.

Ich will schon gehen, da setzt Laser leise, sodass ich es fast überhört hätte, nach: »Danke übrigens, dass du vorhin nichts gesagt hast. Na ja, wegen meinem Vater … und den USA und so.«

Ich nicke mit gesenktem Kopf. »Tja, ich kann schweigen. Das ist eben der Unterschied zwischen uns«, erwidere ich so zynisch, wie es mir irgend möglich ist. Dann wende ich mich ab, ohne noch einmal aufzusehen.

»Mein Vater war nicht immer so, weißt du«, sagt Laser auf einmal.

Ich bleibe stehen und drehe mich langsam um.

Alle Selbstsicherheit ist aus Lasers Gesicht verschwunden. Auf einmal sieht er nur noch traurig aus. »Er war es tatsächlich. Stuntman in Amerika, meine ich«, sagt er und reibt sich die Nase.

Wider Willen muss ich zuhören. Die Geschichte dieses versoffenen, kaputten Mannes – einer tragischen Figur in einem Drama, in dem ich in gewisser Weise auch eine Rolle spiele – fasziniert mich.

»Aber vor ein paar Jahren hat sich mein Dad bei einem riskanten Stunt das Bein gebrochen. Danach hatte er dauernd Schmerzen. Trotzdem hat er versucht weiterzumachen, aber inzwischen waren andere da. Jünger und fitter. Die hatten es einfach drauf. Dann kam die Computeranimation dazu und sie haben meinen Dad ... na ja ... ausrangiert.« Laser wippt nervös mit dem Fuß, als er fortfährt: »Er hat vorher schon mal gern den einen oder anderen Drink gekippt. Aber nach dem Beinbruch wurde es immer schlimmer und als er keinen Job mehr kriegte, kam er zurück nach Deutschland. Na ja und da ...« Laser spricht nicht weiter, aber er macht eine Geste, als würde er ein Glas auf ex kippen.

»Und wer finanziert eure Nobelvilla?«, kann ich mir dennoch nicht verkneifen zu fragen.

»Ach, sooo nobel ist die gar nicht. Eben 'n Bungalow mit 'nem kleinen Pool. Aber der ist seit Jahren trocken«, entgegnet er.

Ganz im Gegensatz zu deinem Dad, denke ich, spreche es aber nicht aus.

Als mein Blick weiter auf ihn gerichtet bleibt, seufzt Laser und zuckt mit den Schultern. »Meine Mutter hatte reiche Eltern, die ihnen das Haus zur Hochzeit hingestellt haben. Und sie hat 'nen ganz guten Job in der Bank, also ...«

Laser beendet den Satz wieder nicht, aber ich habe schon kapiert. Seine Mutter hält die Familie zusammen, während der Alkohol bei seinem Vater alle Sicherungen durchbrennen lässt. »Er war schon mal in der Klinik, aber jetzt ist eine Psychose dazugekommen«, hat die Schwester im Sankt Urban gesagt. Ich habe mal von irgendeinem Künstler gelesen, Maler oder Dichter. Der hatte im Suff Ratten und Kakerlaken über sein Bett laufen sehen. Schreiend war er auf die Straße gerannt und hatte um sich geschlagen. Doch niemand hatte verstanden, vor was er sich ekelte, weil es der Alkohol war, der seinem Gehirn einen Streich spielte. Vielleicht ist es Lasers Vater ähnlich ergangen.

Während ich noch darüber nachdenke, spüre ich eine schmetterlingszarte Berührung am Arm. Laser hat mich wohl etwas gefragt, denn er sieht mir nun direkt in die Augen. Allerdings nicht mehr überlegen und strahlend, sondern irgendwie schüchtern.

»Was?«, raunze ich und es kümmert mich nicht mal, ob ich verpeilt rüberkomme.

»Ich hab gefragt, ob wir uns nicht noch mal treffen wollen. Vielleicht wieder im Luigi's?«, wiederholt er und versucht sein strahlendes Laser-Lächeln, doch die Unsicherheit steht ihm weiterhin ins Gesicht geschrieben.

Kurz klopft mein Herz schneller. Ja, denke ich. Jetzt können wir noch mal von vorn anfangen. Doch im selben Moment wird mir das Herz so schwer – ich fühle mich, als wäre ich ein Taucher, den die Bleiweste immer tiefer und tiefer hinunterzieht. Weil ich erkenne, dass es nicht geht. Ich kann mir nicht einreden, er wäre ehrlich interessiert und würde wirklich mich meinen, da ich nie wissen werde, warum Laser nett zu mir ist. Ob er mich wirklich mag oder ob er befürchtet, dass ich sonst die Sache mit seinem Vater verpetze.

»Ich kann nicht«, erwidere ich leise.

»Na ja, muss ja nicht heute sein«, lächelt Laser gezwungen und versucht, locker zu klingen.

Aber ich spüre, dass er genau weiß, was ich meine, und schüttle nur stumm den Kopf.

»Marie, ich meine, Motte ... Also, ich wollte dir nur sagen ... Ich hab dir nicht die ganze Zeit was vorgemacht. Und schon gar nicht ...«, Laser weist mit dem Kopf in Richtung Turnhalle.

Einen Augenblick lang bin ich versucht, entgegen meiner Überzeugung alles zu vergessen und mich einfach in seine Arme fallen zu lassen. Aber damit würde ich mir nur in die Tasche lügen. Also werfe ich meinen Rucksack über die Schulter und wende mich zum Gehen. Nur eins würde ich noch gern wissen: »Wo warst du eigentlich wirklich in den Ferien?«, frage ich.

Laser fährt sich über den blonden Schopf. Dann schenkt er mir einen entschuldigenden Blick. »Bei meinem älteren Bruder. In Göttingen. Er studiert da.«

Ich wusste nicht mal, dass er Geschwister hat. Trotzdem nicke ich. »Bis dann«, sage ich leise.

»Okay«, antwortet Laser matt und ich gehe davon.

So einfach ist das also, denke ich. So banal. Man sagt »bis dann« und weiß, alles ist vorbei.

Kapitel 13

Maikäfer, flieg!

Am nächsten Tag ist Pavel wieder da. Als ob nichts gewesen wäre, sitzt er auf seinem Platz im Klassenzimmer und erwidert ruhig die ungläubigen Blicke seiner Mitschüler. Alle tuscheln, doch keiner traut sich, Pavel auf seine Rückkehr anzusprechen. Auch ich stutze, als ich ihn sehe. Hat sich die Schulleitung also doch überlegt, Pavel nicht zu hart zu bestrafen?

In dem Moment kommt die Schubert zur Tür rein. Sie lächelt Pavel herzlich zu und klatscht dann in die Hände, um sich Gehör zu verschaffen. »Bitte seid mal ruhig, Herrschaften«, übertönt sie das Flüstern und Raunen. »Die Sache mit der Schlägerei auf der Klassenparty hat sich aufgeklärt. Auch ohne eure Unterstützung«, fügt sie hinzu und lässt ihren stählernen Blick über die Klasse schweifen.

Alle weichen ihm aus und haben auf einmal furchtbar spannende Dinge vorm Fenster oder auf dem Fußboden zu entdecken.

Die Schubert nickt, als fühle sie sich bestätigt. »Jedenfalls ist die Sache erledigt und ich möchte ...«, hier wird ihr Ton scharf und sie redet so lange nicht weiter, bis alle Blicke sich auf sie richten, »... falsch – ich *erwarte* von jedem von euch Fairness und ein Minimum an Charakter, was das Miteinander angeht!« Noch einmal schenkt sie Pavel ein ermutigendes Lächeln, ehe sie die Klasse mit grimmiger Miene mustert: »Haben wir uns verstanden?«

Die meisten nicken nach kurzem Zögern mit gesenktem Kopf. Ich blicke zur Seite und begegne einem Paar dunkler Augen: Pavel. Unwillkürlich grinse ich zu ihm rüber – und er grinst zurück. Etwas überrascht, aber erfreut. Das wäre also geklärt.

Ich hole mein Handy aus der Schultasche und möglichst unauffällig, damit es keiner sieht, scrolle ich zum Video-Ordner. Dort gibt es nur eine einzige Datei. Einen Moment zögere ich, doch dann drücke ich auf »Löschen«.

*

Nach Schulschluss nestle ich absichtlich noch etwas an meinem Fahrradschloss herum, wobei ich den Ausgang der Schule im Blick behalte. Ich habe Laser in der Pause nicht gesehen und auch Tobi hat gefehlt. Ob Pavel dem Schulausschuss seine Unschuld beweisen konnte und Laser und Tobi jetzt die Konsequenzen tragen müssen?

Nach zehn Minuten habe ich keine Entschuldigung mehr, die Ziffern meines Zahlenschlosses immer wieder neu zu kombinieren. Nur noch vereinzelte Oberstufenschüler tröpfeln aus dem Gebäude. Von Laser immer noch keine Spur. Gerade will ich mich aufs Fahrrad schwingen, als Jana angeschlichen kommt. Ihre Wimperntusche ist verlaufen und ihre Augen sind rot. Vom Heulen?

Es platzt aus mir raus: »Was ist los, haben sie Laser von der Schule geschmissen?«

Jana hebt langsam ihren blondierten Kopf und blickt mich aus ihren verschmierten Puppenaugen an. »Laser? Der Spanisch-Kurs ist doch zwei Tage auf Klassenfahrt«, schnieft sie.

»Wieso heulst du dann?«, frage ich irritiert.

Sie schnieft. »Rob! Er hat ... er ist ...« Hastig zieht sie die Luft ein, ehe sie hervor stößt: »Ich hab ihn gesehen. In der Raucherecke. Mit Bébé.«

»Ja, und?«, frage ich und wundere mich, was daran so schlimm sein soll. »Solange es kein Gras ist, das Rob in der Schule raucht.«

Jana hickst, als hätte sie Schluckauf. »Er ha... er hat mit Bébé geknutscht«, heult sie auf und bricht in lautes Schluchzen aus.

Ohne darüber nachzudenken, dass ich sie eigentlich nicht leiden kann, nehme ich sie in den Arm. »Das wird schon wieder«, sage ich tröstend, obwohl ich doch selbst am besten weiß, wie weh ein angeknackstes Herz tut.

*

Als ich die Schultasche in die Ecke meines Zimmers schmeiße, sehe ich einen Umschlag mit meinem Namen auf dem Bett liegen. Die Schrift ist steil und etwas altmodisch. Als ich den Umschlag öffne, liegen darin zwei Geldscheine, beides Fünfhunderter. Mir klappt der Mund auf. Die rosafarbenen Scheine, auf denen irgendein moderner Bau abgebildet ist, habe ich bisher nur auf einem Foto gesehen, aber noch nie live. Schlicht und einfach, weil ich noch nie so viel Geld besessen habe. Bis jetzt. Schlagartig weiß ich, wessen Schrift das auf dem Umschlag ist. Urgroßvater Hermann hat mal wieder seinen Dickkopf durchgesetzt. Ich muss grinsen und beschließe, dass es für den Tausender in den nächsten Ferien einen richtig geilen Urlaub für Nika und mich gibt. Viel zu lange habe ich meine beste Freundin vernachlässigt. Doch das wird sich jetzt ändern. Ich freue mich schon auf ihr Gesicht, wenn ich ihr die zwei Scheine präsentiere.

Plötzlich höre ich, wie sich ein Schlüssel in der Wohnungstür dreht. Offenbar hat meine Mutter in der Kita früher Schluss gehabt. Dann kann ich ihr gleich von meinen Plänen erzählen. In Gedanken gehe ich noch durch, wo ich mit Nika den Tausender auf den Kopf hauen soll: Gardasee? Nein, Ibiza! Oder doch lieber eine angesagte Stadt wie Amsterdam, Paris oder London? Da kommt meine Mutter, ohne anzuklopfen, ins Zimmer. Grinsend drehe ich mich zu ihr um und will ihr gerade die beiden Scheine präsentieren, als ich sehe, dass sie kreidebleich ist. Mir bleiben die Worte »Rate mal ...« im Halse stecken.

»Motte«, sagt Ma und auch ihre Stimme klingt ganz fremd, »ich muss dir was sagen ...«

Jo hat mit ihr Schluss gemacht, schießt es mir durch den Kopf, denn ihre Augen sind rot und verweint – wie die von Jana vorhin.

Doch meine Mutter sagt etwas ganz anderes. »Das Sankt Urban hat angerufen. Oma ist gestorben.«

Ein paar Sekunden Stille. Die Worte, gewichtig und zäh, tröpfeln nur langsam in mein Bewusstsein. So als ob man sich in den Finger schneidet und erst mal gar nichts fühlt, ehe das Blut langsam hervortritt. Ich bin wie betäubt und bringe ein sachliches »Aber warum?« heraus.

»Wir wissen es noch nicht. Die Schwester hat sie heute Morgen gefunden. Sie lag tot im Bett«, sagt meine Mutter.

Und nun setzt der Schmerz ein. Ich muss regelrecht nach Luft schnappen. Meine Uroma, die mich die letzten Tage nur noch Annele genannt hat; mit der ich die ganze lange Fahrt nach Lipová durchgestanden habe; die Uroma, die mit 88 Jahren das erste Mal Pommes gegessen und es geschafft hat, den Clown im Fast-Food-Restaurant mit ihrer Begeisterungsattacke völlig aus dem Konzept zu bringen; die im Garten gesessen und mit ihrer früheren Nachbarin selbstvergessen ein tschechisches Kinderlied gesungen hat, ein paar Minuten nachdem sie die Erinnerung an das eingeholt hatte, was ihr in ihrem Elternhauses angetan worden war. Diese Uroma ist tot.

Mir zittern die Knie, ich muss mich setzen. Ob sie jetzt bei ihrer heißgeliebten Annele ist? Obwohl ich nicht so recht an die Sache mit dem Tunnel und dem hellen Licht glaube – geschweige denn an einen Himmel –, hoffe ich, dass die alte Frau von ihrer jüngeren Schwester erwartet wurde. Am Ziel ihrer letzten Reise. Bei der Vorstellung, dass die drei Schwestern einander nun wiederhaben, fließen bei mir endlich die Tränen. Meine Mutter nimmt mich fest in den Arm und so stehen wir da – innig wie schon lange nicht mehr.

»Kann ich sie sehen?«, frage ich.

Sie nickt. »Soll ich dich fahren?«

»Danke, aber … ich nehme den Bus«, sage ich. Ich muss jetzt alleine sein, ich kann meine Gedanken gerade mit niemandem teilen.

Ma nickt und streicht mir über die Wange. »Ist klar, meine Große. Aber wenn du mich brauchst …«

Ich nicke und bussle meine Ma kurz und heftig ab, ehe ich in meine Schuhe schlüpfe. Die beiden Fünfhunderter flattern achtlos zu Boden, als ich die Tür meines Zimmers hinter mir schließe.

*

Ein warmer Wind fährt durch mein Haar und das Zwitschern einer Amsel dringt überlaut zu mir, als die automatischen Türen ein paar munter schwatzende Besucher in die gläserne Stille des Klinikkomplexes schleusen. Ich sitze im Foyer des Sankt Urban und starre auf den Marmorfußboden. Ich frage mich, wieso die Vögel draußen weiterzwitschern, obwohl sich alles verändert hat. Gerade ist jemand gestorben, müsste da nicht wenigstens eine Sekunde lang die Zeit stillstehen? Oder zumindest etwas anders sein?

Mein Blick fällt auf meinen Urgroßvater, der neben mir auf der Bank hockt. Auch der alte Mann sieht aus, als würde er sich wünschen, dass die Welt anhielte. Ich denke an meine Urgroßmutter, die da oben im Zimmer jetzt so kalt und leblos unter weißen Laken liegt. Als ich sie vorhin noch einmal habe sehen dürfen, hatten sich die faltigen Züge der alten Frau bereits geglättet. Sie hat gleichzeitig kindlich und abgeklärt ausgesehen. So als wüsste sie auf einmal über alles Bescheid. Aber ich habe gespürt, dass sie nicht mehr da war. Weder die Uroma von früher, die mich bei der kleinsten Verfehlung gerügt und mir auf die Finger geklopft hatte, noch das ängstliche, verwirrte, aber auch glückliche Kind, zu dem die Demenz die alte Frau in den letzten Monaten gemacht hatte. Der Körper, den ich dort liegen gesehen habe, war mir fremd. Endlich verstehe ich, was damit gemeint ist, wenn es heißt, dass nach dem Tod nur noch die Hülle eines Menschen übrig bleibt.

Ich hole tief Luft. »Du, Urgroßvater …«, beginne ich. Der alte Mann wirft mir einen traurigen, aber liebevollen Blick zu und ich traue mich zu fragen: »Ich meine … warum? Sie war doch nicht krank, nur vergesslich, oder?«

Er sieht mich müde an. Gerade als ich denke, er wird mir keine Antwort geben, sagt er leise: »Es war das Herz. Sie ist gestern Abend eingeschlafen und morgens einfach nicht mehr aufgewacht.«

Epilog

Als sich die automatische Tür lautlos öffnet und ich benommen aus der kühlen Stille der Klinik ins Freie trete, kommen mir die strahlende Sonne und der blaue Himmel immer noch unwirklich vor. Hier draußen blühen in den Rabatten knallbunte Tulpen und Ranunkeln um die Wette und drinnen liegt meine Uroma inmitten des sterilen Weiß des Krankenzimmers. Ich bin derart in Gedanken versunken, dass ich Laser erst bemerke, als der mich anspricht. Auch er kommt mir irreal vor, deswegen starre ich ihn an, ohne etwas zu sagen. Etwas linkisch steht er da – das genaue Gegenteil seiner sonstigen Selbstsicherheit.

»Wieso bist du nicht auf Klassenfahrt?«, ist alles, was mir einfällt. »Kein Bedarf«, antwortet er und mustert eingehend die Blumenbeete. Offenbar kostet es ihn Mühe weiterzureden. »Ich war bei meinem Vater, na ja … da dachte ich, ich schau mal, ob du zufällig auch hier bist«, meint er.

Ich bin ist perplex. Laser hat auf mich gewartet?

Weil ich keine Antwort gebe, fügt er mit schiefem Grinsen hinzu: »*Ich* war übrigens bei der Schubert und hab ihr von der Klassenfete erzählt.«

Ich brauche einen Moment, bis ich kapiere, dass er sich tatsächlich selbst gestellt hat. »Und?«, frage ich.

Er zuckt mit den Schultern. »Ich krieg 'nen fetten Direktoratsverweis. Immerhin haben sie mich nicht von der Schule geschmissen. Und der Pol… ich meine Pavel ist aus dem Schneider.«

Ich nicke nur stumm.

Laser schaut mich abwartend an.

Ich muss dran denken, wie ich mir nach der Klassenfete gewünscht habe, er würde einmal, nur ein einziges Mal auf mich warten, mich ansehen, mit mir sprechen. Das scheint Lichtjahre her zu sein. Denn nun, da es passiert, fühle ich nichts. Eigentlich schade, denke ich fast ein bisschen wehmütig. Verliebtsein war irgendwie auch ganz schön.

Lasers Stimme unterbricht meine Gedanken. »Wie … ich meine, sagst du denn *gar* nichts?«, sagt er und ich höre seine Verwirrung.

»Meine Uroma ist gestorben«, erwidere ich.

»Oh, tut mir leid. Was hatte sie denn?«, fragt er.

Ich denke nach. Was »hatte« jemand, der 88 Jahre alt geworden ist, Krieg, Gewalt und Vertreibung miterlebt hat und all das nie verarbeiten konnte, ehe sich sein Geist lange vor seinem Körper einfach aus dem Staub gemacht hat? Ich lege den Kopf in den Nacken und blicke in den blauen Himmel: »Ich glaube, sie hat einfach vergessen, wie man lebt.«

Ich danke ...

W. Polivka, für seine Offenheit und die Bereitschaft, seine Erinnerungen mit mir zu teilen. Meiner Literaturagentin Anja Koeseling von Scriptzz, die von der ersten Seite an an dieses Buch geglaubt hat. Hannes, der mich immer wieder auffängt. Monika, die mit mir so viele Höhen und Tiefen durchlebt hat und mir immer noch und immer wieder die beste Freundin ist. Allen Freunden, die mich begleiten und mein Leben schöner machen. Meinen vier Großeltern, die mir vieles für meine Geschichte mitgegeben haben. Ingeborg und Justy, weil sie dafür sorgen, dass die frische Luft nicht zu kurz kommt. Und ich danke dem Verlag Schwarzkopf & Schwarzkopf, vor allem meiner Lektorin Annika Kühn und der Programmleiterin Jennifer Kroll, durch deren Engagement und Courage Mottes Geschichte lebendig werden durfte.

HELLO PARIS

AUCH DIE STADT DER LIEBE HAT IHRE DUNKLEN SEITEN: DER AUTOBIOGRAFISCHE
ROMAN ÜBER EINE 15-JÄHRIGE, DIE MIT IHRER MAGERSUCHT RINGT

HELLO PARIS
JUGENDROMAN
Von Catharina Geiselhart
264 Seiten, Hardcover
ISBN 978-3-86265-083-5 | Preis 12,95 €

Als sich die 15-jährige Morgan in Arthur verliebt, scheint zunächst alles perfekt. Arthur behandelt sie wie eine Prinzessin, schreibt ihr Liebesbriefe, führt sie in die Pariser High Society ein.

Doch Morgan quälen Selbstzweifel. Obwohl sie von einer Modelagentur entdeckt wird, lässt sie das Gefühl nicht los, dass sie den Ansprüchen ihres schönen Freundes nicht genügt.

Als Arthur sie schließlich verlässt, bricht aus, was schon lange in ihr geschlummert hat: eine Magersucht.

Und während Morgan immer weniger wird, wächst ihr Misstrauen allen anderen gegenüber ...

Catharina Geiselharts autobiografischer Roman erzählt die Geschichte einer jungen Frau, die in der Stadt der Liebe lebt, leidet und zu kämpfen lernt.

DIE AUTORIN

Heike Eva Schmidt wurde in Bamberg geboren.
Nach einem Psychologiestudium war sie als
Journalistin für Radio, TV und Print tätig, ehe sie ein
Stipendium für die DrehbuchWerkstatt München
erhielt. Seitdem arbeitet sie als freie Drehbuch-
autorin und Schriftstellerin. »Amerika liegt im
Osten« ist der dritte von drei Romanen der Autorin.

Heike Eva Schmidt
Amerika liegt im Osten
Roman

ISBN 978-3-86265-134-4
© Schwarzkopf & Schwarzkopf Verlag GmbH, Berlin 2011
HERZKLOPFEN UND SO ist das neue Jugendbuchprogramm
von Schwarzkopf & Schwarzkopf. Alle Rechte vorbehalten.
Dieses Werk ist urheberrechtlich geschützt. Jede Verwen-
dung, die über den Rahmen des Zitatrechtes bei korrekter und
vollständiger Quellenangabe hinausgeht, ist honorarpflichtig
und bedarf der schriftlichen Genehmigung des Verlages.
Titelfoto: © Victor Bertolachini (www.photocase.de) | Auto-
rinnenfoto: © Moritz Thau | Lektorat: Annika Kühn

KATALOG
Wir senden Ihnen gern kostenlos unseren Katalog.
Schwarzkopf & Schwarzkopf Verlag GmbH
Kastanienallee 32, 10435 Berlin
Telefon: 030 – 44 33 63 00
Fax: 030 – 44 33 63 044

INTERNET | E-MAIL
www.schwarzkopf-schwarzkopf.de
info@schwarzkopf-schwarzkopf.de